D1407867

Zu diesem Buch

«‹Geliebtes Untier› ist ein zutiefst intimer und gleichzeitig erfrischend banaler Bericht über ein Leben mit Katzen. Nicht für Liebhaber, sondern für all jene, die sich eingelassen haben auf eine wirkliche Beziehung. Gleich mit den ersten Sätzen gewinnt die Autorin denn auch *ihre* Leser und Leserinnen. Sie stellt nämlich die unsinnige Behauptung, Katzen würden miauen, gegen ihre Erfahrung. Es gibt Katzen, die blöken oder quäken, ‹eauo› oder ‹ek› machen, leise murren oder vielleicht auch maunzen. Recht hat sie, und alle anderen haben keine Ahnung, denkt man zufrieden und ist gespannt auf endlich ein ehrliches Katzenbuch. Anja Meulenbelt enttäuscht einen nicht. Sie erzählt erst einmal von der Nacht, als sie nicht schlafen konnte und ihre dumme Pu auch nicht. Doch anstatt das Ritual gegenseitiger Einschüchterung im Kampf um den besten Platz im Bett einzuhalten, befördert sie Pu sofort, mit Schwung und ziemlich unsanft aus demselben. Die Katze beleidigt im Schmollwinkel, die Schriftstellerin mit schlechtem Gewissen und Papier und Stift allein im Bett – so ist es entstanden, ihr Katzenbuch... Im Ton fast schnoddrig, ohne zu beschönigen oder gar zu philosophieren, erinnert sie sich an die unterschiedlichen Charaktere, die Schrullen und Macken von Patsy der Ersten, Pukeltje, dem König der Dächer, Miep, der Gezierten, Pie, der liebenswerten Mißgeburt, und endlich Sara, der Lieblingskatze. Schlank, getigert, eigensinnig auf ihre Unabhängigkeit bedacht, ganz Dame mit Stil und doch voll ungezähmter Leidenschaft, so lernen wir Sara kennen. Die erste Rolligkeit, ihr Scheitern als Mutter, der Wohnsitz hinter den Büchern, die vielen Krankheiten, ihre Art zu genießen, zuzuhören, zu reden. Wie anders ist dagegen Pu, ihre Tochter. Anja Meulenbelt beobachtet genau, ist ganz getreue Chronistin... Ein Lesevergnügen, das Sie mit Ihrer Katze teilen sollten. Meine war hin und weg.» (Suzanne Greuner im NDR)

Anja Meulenbelt, geboren 1945 in Utrecht, studierte Sozialwissenschaften in Amsterdam, wo sie heute als Dozentin und freie Journalistin tätig ist. Sie gehört zu den Begründerinnen und führenden Kräften der holländischen Frauenbewegung. Von Anja Meulenbelt erschienen außerdem die Romane «Die Gewöhnung ans alltägliche Glück» (rororo Nr. 12534), «Ich wollte nur dein Bestes» (rororo Nr. 12866), «Bewunderung» (Rowohlt 1988) sowie «Scheidelinien. Über Sexismus, Rassismus und Klassismus» (Rowohlt 1988) und «Du hast nur einen Beruf – mich glücklich zu machen. Über die Unmöglichkeit der Liebe zwischen Frau und Mann» (Rowohlt 1992).

Anja Meulenbelt

Geliebtes Untier

Von Sara und anderen Katzen

Mit Zeichnungen von
Teuny Vogel

Aus dem Niederländischen von
Helga van Beuningen

Rowohlt

Die Originalausgabe erschien 1989 unter dem Titel
«Geliefde ramp. Over Sara en andere katten»
bei Uitgeverij en boekhandel Van Gennep bv, Amsterdam

Veröffentlicht im Rowohlt Taschenbuch Verlag GmbH,
Reinbek bei Hamburg, April 1993
Copyright © 1991 by Rowohlt Verlag GmbH,
Reinbek bei Hamburg
«Geliefde ramp. Over Sara en andere katten»
Copyright © 1989 by Anja Meulenbelt / Uitgeverij en
boekhandel Van Gennep bv, Amsterdam
Umschlaggestaltung Barbara Hanke
Gesamtherstellung Clausen & Bosse, Leck
Printed in Germany
790-ISBN 3 499 13255 9

Für Armin und Ruben,
die Lieblingsdosenöffner

Wᴇʀ ᴇɪɢᴇɴᴛʟɪᴄʜ behauptet hat, daß Katzen miauen, weiß ich nicht. Ich persönlich kenne fast keine Katze, die miaut. Ich kenne eine, die blökt, und eine, die quäkt. Sara sperrte immer ihr rosa Mäulchen auf, doch dann kam kaum ein Laut heraus, höchstens ein kurzes «ek». Oder manchmal ein leises «mrr», mit einem Fragezeichen dahinter. Und Pu – Pu maunzt.

Stimmt, das hört sich nach Voreingenommenheit an. Natürlich sollte man all seine Katzen gleich liebhaben, ebenso wie Eltern keines ihrer Kinder bevorzugen sollten.

Schließlich können Katzen, genauso wie Kinder, sich unsereins ja nicht aussuchen, und alle haben das gleiche Recht auf ihre Portion Zuneigung. Das Problem ist, daß ich trotzdem meine Vorlieben habe. Sara war meine Lieblingskatze, die mit Abstand liebenswerteste, mit Abstand intelligenteste, die einzige, die man sozusagen auf die höhere Schule hätte schicken können, und die mit Abstand schönste.

Aber Sara starb, ausgerechnet Saar. Kleiner Herzstillstand auf der Badematte, nichts zu machen. Und jetzt muß ich mich mit der zweiten Wahl begnügen, mit Saars dummer, dicker Tochter Pu. Die auch nichts dafür kann, daß ich ihre Mutter mehr liebte als sie – also bemühe ich mich, unser Verhältnis zu verbessern. Leicht ist das nicht.

Es war eines Nachts, als ich nicht schlafen konnte. Das kommt bei mir selten vor, meist schlafe ich zufrieden wie ein kleines Kind, das den ganzen Tag im Sandkasten gespielt hat, mindestens acht Stunden lang, wenn es geht auch zehn. Aber diesmal wollte es nicht klappen. Die Arbeit wuchs mir über den Kopf, und ich wußte nicht, wo ich anfangen sollte. Ich zerbrach mir, ohne zu einem Ergebnis zu kommen, den Kopf über Rechnungen, die noch zu bezahlen waren, und darüber, ob ich wegen einer Sache, die mich schrecklich ärgerte, einen Brief schreiben sollte oder nicht.

Wenn ich mich so im Bett herumwälze auf der Suche nach einer kühlen Stelle für meinen heißen Kopf, dann ist Pu besonders biestig. Wenn ich schlafe, dann schläft sie auch, wie es sich gehört, am Fußende zusammengerollt. Wenn wir morgens aufwachen, liegt sie immer in der Mitte und ich irgendwo am Rand, keine Ahnung, wie sie das anstellt, aber stören tut sie mich eigentlich nicht. Nur dann, wenn ich nicht schlafen kann, denn dann kann sie auch nicht schlafen. Gerade habe ich meine durcheinanderwirbelnden Gedanken halbwegs zur Ruhe gebracht, da klettert sie über mich hinweg, bläst mir ihren Whiskas-Atem ins Gesicht und maunzt. Drehe ich mich um, dann stapft sie noch einmal über mich weg, um mir auf der anderen Seite was vorzuquengeln. Ich weiß nicht, was sie will, denn was ich auch tue, nie ist es richtig. Ich kann sie sanft streicheln, kräftig streicheln, ihr Koseworte zuflüstern oder sie zum

Teufel wünschen, wenn sie erst einmal so überdreht ist, ist alles zu spät. *Was will die Katz?* Red doch vernünftig, rufe ich ihr manchmal verzweifelt zu, aber auch das hilft nicht. Dann beginnt unser Ritual. Genervt schubse ich sie weg. Sie krallt sich fest und maunzt. Ich fluche und schubse heftiger. Sie maunzt lauter. Ich gebe ihr einen Tritt, so daß sie vom Bett purzelt. Manchmal habe ich dann für einen Moment Ruhe, doch dann geht es von neuem los, ich spüre, wie sie sich vom Fußende her anschleicht. Ich trete fester zu. Sie kommt wieder. Es hängt von unser beider Ausdauer ab, wie lange das Spielchen geht. Manchmal hat sie nach drei Runden genug, dann legt sie sich brav hin und schläft, doch wenn sie einigermaßen gut drauf ist, macht sie weiter. In jener Nacht geriet alles ein bißchen außer Kontrolle. Gerade war es mir gelungen, die Gedanken an einen Journalisten von mir zu schieben, über den ich mich ärgerte – was kann man nachts manche Menschen hassen, die man am Tag achselzuckend abtut! –, da kam sie an, meine Pu.

Diesmal vergaß ich, das Ritual sich langsam steigern zu lassen, und der erste Tritt fiel entschieden zu heftig aus. Sie flog in hohem Bogen auf die andere Bettseite, wo sie mit den Krallen ihrer Vorderpfoten hängenblieb. Statt ihres üblichen Gequengels erhob sich nun ein klägliches Jammern. Nachdem ich ihr geholfen hatte, die Krallen zu lösen, verschwand sie sofort die Treppe hinunter.

Jetzt hätte ich eigentlich schlafen können. Aber es ging nicht mehr. Ich kam mir hundsgemein vor. Ich zog etwas über und ging hinterher, um mich zu entschuldigen. Keine Chance. Sauer, wie sie war, würdigte sie mich keines Blicks. Bekümmert ging ich wieder nach oben und nahm unterwegs einen Block mit. Im Bett fing ich zu schreiben an. Von meiner neurotischen Beziehung zu Pu und wie es dazu gekommen war, von ihrer unvergleichlichen Mutter Saar, von den anderen Katzen, Grijs, Pie, Piewie, Miep, und von der ersten Katze aus meiner Kinderzeit, Cleopatra, genannt Patsy. Erst als kaltes Morgenlicht unter den Gardinen hervorkroch und ein Stadtvogel unangenehm schrille Töne von sich zu geben begann, war ich endlich soweit, daß ich schlafen konnte. Auf meinem Block war fast das ganze Katzenbuch skizziert. Jetzt nur noch tippen, dachte ich, leicht euphorisch vor Müdigkeit. Am Fußende – wann war sie wieder heraufgekommen? – lag Pu und schnarchte, brav zusammengerollt, friedlich vor sich hin.

Es ist unentschuldbar, ein Buch über Katzen zu schreiben. Jeder hat schon mal über Katzen geschrieben.

Es gibt so viel Literatur über Katzen. Richtige Literatur, wo wir von einer zipfelmützohrigen, damenäugigen Kätzin namens Frau Ping lesen. Viele Schriftsteller haben sich schon daran versucht, das Wesen der Katze zu

ergründen, und haben dabei doch fast nur von sich selbst gesprochen.

Es gibt Bücher über die Frage, ob Katzen denken können, es gibt ein Wörterbuch Kätzisch–Niederländisch, es gibt ein Kochbuch für Katzen und einen Ratgeber, welche Vitamine und Mineralstoffe sie brauchen.

Es gibt viele, viele Gebrauchsanweisungen für Katzen. In einer fand ich ein Kapitel mit der Überschrift: «Kommt Homosexualität bei Katzen vor?» Ja und nein, lautete die Antwort. Die Kapitel über die Erziehung von Katzen sind in der Regel kurz, was vermutlich damit zusammenhängt, daß die meisten Katzen auf Erziehung pfeifen. In diesem Zusammenhang stieß ich einmal auf ein Buch, in dem stand, wie man seine Katze an der Leine spazierenführen kann. Schon grundverkehrt. Eine Psychoanalyse für die Katze, ein etwas tiefer schürfendes Werk, das unter dem Aspekt der Objektbeziehungstheorie ihre präödipale Phase und den Verlauf der Individuationsseparationsphase der Mutter gegenüber untersucht. Nancy Chodorow für die Katze sozusagen habe ich allerdings noch nicht gefunden. Dabei kann in jenen entscheidenden ersten Wochen, in denen sich ihr Charakter formt, in denen sie sich aus der symbiotischen Beziehung mit der Mutter löst, stubenrein wird und sich von der Katze ab- und dem Menschen zuwenden muß, so vieles schiefgehen. Ich kenne mich aus, stundenlang könnte ich davon erzählen.

Aber mußte ich auch darüber schreiben?

Ich fühlte bei meinen Männern vor. Vier habe ich von der Sorte, doch bevor das zu Mißverständnissen führt: Einer ist mein Verlobter, einen habe ich selbst produziert, und die restlichen zwei hat mein Verlobter produziert.

Das Gute (und Schlechte) an meinen Männern ist, daß sie im Gegensatz zu meinen Freundinnen ohne nachzudenken ihre Meinung sagen. Der erste platzte mit der Frage heraus: Oh, ist wieder Tantiemenzeit? Denn ich hatte ihm mal erzählt, daß es mir kein Zufall zu sein schien, wenn von allen großen Schriftstellern lange Stücke über ihre Füllfederhalter, Schreibmaschinen, PCs oder eben über Katzen etwa zu dem Zeitpunkt in den Zeitungen erscheinen, an dem auch ich mich täglich frage, was zuerst in der Post sein wird – Mahnungen und Zahlungsbefehle oder die Abrechnungen vom Verlag. Dieser Mann hatte auch gleich einen Titel parat: Anja Meulenbelts unvermeidliches Katzenbuch. Der zweite meinte erfreut, ein Katzenbuch passe gerade noch ins Weihnachtssortiment, denn der findet im Gegensatz zu vielen anderen nichts dabei, daß ein schreibender Mensch sein Brot mit Schreiben verdient. Und der dritte wollte wissen, ob er auch darin vorkäme. Das tut er. Und schließlich war da noch Teun, Buchhändler und Schwager, das heißt der Mann der Schwester meines Verlobten, der meinte, er habe zwar getreulich jedes meiner Bücher ins Regal gestellt, selbst wenn er von vornherein wußte, daß kein Schwanz danach fragen würde, würde dieses Buch aber boykottieren. Der ganze Laden ist voll von Katzenbüchern, bis hin zu dem von Jos Brink, rief er. Ich versprach ihm, daß mein nächstes Buch von Menschen handeln werde. Obwohl du davon auch schon eine Menge hast, sagte ich. Aber er ließ sich nicht überzeugen.

Es gibt absolut keine Entschuldigung. Ich hatte es nicht vor. Es ging von selbst.

Es ist ein bißchen wie bei meinen Liebhabern. Je mehr Zeit vergeht, desto stärker verblassen einige, während andere mir unverhofft wieder in Erinnerung kommen. Manche komplett, aber von anderen weiß ich den Namen nicht mehr, oder ich weiß den Namen, aber nicht mehr, wie ich an sie geriet, oder zwar, wie es begann, aber nicht mehr, wie es endete. Bei manchen erinnere ich mich an meine Gefühle, aber nicht mehr an ihre Liebhaberqualitäten. Bei anderen weiß ich noch genau, wie sie als Liebhaber waren, aber nicht mehr, wie sie aussahen.

Zu Sara hatte ich ein inniges Verhältnis, das zwölf Jahre bestand. Ich erinnere mich an sie von dem Tag an, an dem sie zu mir kam, bis zu dem Tag, an dem sie starb. Ich kann sie Haar für Haar zeichnen. Aber es gibt auch verschwommene *one night stands* und sämtliche Zwischenstufen.

Die meisten meiner Katzen – ich muß mich auf der Stelle entschuldigen: Katzen sind keine Leibeigenen, auch wenn wir größer sind und mehr Macht haben –, die meisten Katzen, mit denen ich mein Domizil teilte, bekamen zu Beginn die schönsten Namen, aber an die kann ich mich nur noch selten erinnern. Was letztlich Bestand hatte, waren die albernen Namen, die nach einiger Zeit von selbst an ihnen hängenblieben: Pukkie, Piewie, Miepie. Ich war auch nicht frei von der Versuchung, mich über die Namen meiner Tiere zu profilieren, zu zeigen, daß wir nicht aus der Gosse kommen und einen Sinn für Humor haben, den wir an unseren Kindern nun einmal nicht auslassen dürfen. In einem Bildband über Amsterdamer Katzen finden sich im Namenregister der abgebildeten Katzen ein Mozart und ein Shakespeare und ein Sandokan Boersova, und ich kenne auch Leute, die immer unbedingt zwei Katzen haben müssen, damit man sich so richtig austoben kann mit Tim und Struppi, Cash und Carry, Black und Decker, Bang und Olufsen; schaut man sich freilich die dort aufgeführten Namen an, so fristen doch die meisten als Bolle, Pukkie und Vlekkie ihr Leben. Ebenso schön ist dieses Beinah-Gedicht unter dem Buchstaben D: Daan Dikkie Dikkie Dolly Dolly Dreng Drop Droplul. Auch ich habe schon mal versucht, eine Katze Katzenbach oder Katzenstein zu nennen, um zu zeigen, daß ich kulturell nicht ganz unbeleckt bin, aber keine Katze in meinem Haus hat sich je so mißbrauchen lassen, und nach ein paar Versuchen glitt ein solcher Name von ihr ab, und was blieb, war Pie oder Pu.

Die erste Katze in meinem Leben hieß Cleopatra, und schon bald wurde sie Patsy gerufen. Beide Namen stammten nicht von mir, sondern von meiner Mutter, die der Meinung war, Katzen würden nur auf Namen hören, die mit P anfangen, und zwar wegen des Verschlußlauts. Dabei hören die meisten Katzen in erster Linie auf das Geräusch des Dosenöffners, und es ist

14

ihnen egal, ob man gleichzeitig Erdbeermarmelade! oder Kalverstraat! ruft, solange sie an der Stimme hören können, daß es Zeit ist für einen kleinen Leckerbissen, aber meine Mutter war zeit ihres Lebens nicht davon abzubringen. Zwar bekam *ich* Patsy zum Geburtstag geschenkt, aber da meine Mutter doch mehr oder weniger davon ausging, daß ich bis zu meiner Volljährigkeit mitsamt meiner Habe ihr unterstand, zählte sie Patsy zu *ihren* Untertanen. In diesem Punkt waren Patsy und ich uns sehr ähnlich – wir waren beide nicht scharf auf Autorität, und von ihr konnte ich lernen, wie man formal zwar jemandes Eigentum sein und trotzdem souveräne Eigenständigkeit bewahren kann, eine Art innerer Emigration, in der ich mich dann ebenfalls übte.

Patsy war eine kleine, schlanke Schwarze. Damals war es noch nicht üblich, viel Geld für eine gewöhnliche Hauskatze auszugeben, und so wurde Patsy nicht sterilisiert. Auch die Kater in den Gärten hinter dem Haus trieben es noch, was heutzutage in der Stadt nicht mehr oft vorkommt. Ich wußte nicht, was da vor sich ging. Patsy verschwand zu bestimmten Zeiten schreiend im Garten, aus dem kurz darauf herzzerreißendes Gekreisch ertönte. Freudig hörte sich das in meinen Ohren nicht gerade an, und wenn ich hinausschaute, sah ich meine Patsy mit einem der frechen Nachbarkater auf sich. Wütend nach hinten tretend, versuchte sie ihn wieder abzuschütteln. Glaubte ich. Die anderen Kater saßen grinsend auf dem Zaun. Dann rannte ich zu meiner Mutter und rief, sie solle Patsy retten, weil sie umgebracht werde. Meine Mutter hatte daheim das Sagen, auch in puncto Fressen, und wenn sie Patsypatsypatsy durch die Gärten rief, dann kam Patsy immer. Auch jetzt. Das wäre ein guter Zeitpunkt für eine erste Lektion in sexueller Aufklärung gewesen, doch das war nicht gerade die Stärke meiner Mutter, ich erfuhr die unglaublichen Tatsachen erst später von einer Kusine. Patsy kam, fraß ein Häppchen und rannte schreiend wieder hinaus, wo die Halunken schon Schlange standen.

Am laufenden Band brachte sie Junge zur Welt, und dabei durfte ich zuschauen. Sex war tabu, Mutterschaft nicht. Ich fand es toll. Ich schaute zu, wie sie die nassen, glitschigen Würstchen eines nach dem anderen aus ihrem kleinen Leib preßte, sie in Form leckte, bis sie Öhrchen hatten, hilflose Flappdinger, ein steifes Rattenschwänzchen, Pfötchen mit mikroskopisch kleinen Krallen. Ich sah fasziniert zu, wie sie die Nabelschnur durchbiß, die Nachgeburt auffraß – woher weiß so ein Tier, was es tun muß, wo anfangen und wo wieder aufhören? –, bis sich ihre Schnurrhaare erneut aufstellten und sie damit begann, das nächste nasse Häufchen zur Welt zu bringen.

Den Geruch der Katzenkinderstube, einen lieben, süßen Geruch, vergesse ich nie, und meine Hebammenerfahrungen waren mir später sehr von Nutzen, wenn eine Mutterkatze nicht so recht wußte, wie es ging und an ihren neugeborenen Jungen zu knabbern begann oder sich auf sie legte oder sie hartnäckig in das oberste Regal des Wäscheschranks zu werfen versuchte, wobei mir schon klar war, ihr aber nicht, was für ein Drama es ein paar Tage später geben würde, wenn sie zusehen müßte, wie sie all ihre heruntergefallenen Jungen – tot oder lebendig – wieder hinaufbekäme.

Was aus Patsy wurde, weiß ich nicht mehr. Vielleicht verschwand sie in den Gärten hinter dem Haus, schloß sich einem Zirkus an oder zog zu einem der Kater, vielleicht blieb sie auch, bis ich selbst, jetzt offenkundig über den Zusammenhang zwischen Sex und Mutterschaft informiert, das elterliche Haus verließ.

Später hatte meine Mutter noch andere Katzen, einen dicken, häßlichen schwarzen Kater namens Pascha und einen drahtigen jungen roten, Sam.

Aber das waren nicht mehr meine Katzen.

Meine Katze dagegen war eine Art Zwischenkatze, eine kleine, verwahrloste, die ich, glaube ich, aus dem Tierheim geholt hatte. Es war die schrecklichste Zeit meines Lebens, ich traute mich kaum aus dem Haus, war von morgens bis abends depressiv, war der Mutterrolle nicht gewachsen, dem Haushalt nicht, meinem Mann nicht. Diese kleine Katze schenkte mir keinen Trost, wie ich es von Patsy gewohnt war. Sie war zu scheu und zu verwahrlost, und eines Nachts, sie war noch keine Woche bei mir, drehte sie durch. Ich hatte im Dunkeln die Hand nach ihr ausgestreckt, als sie plötzlich zu fauchen begann, mir durch den Nagel hindurch in den Daumen biß und anfing, wild durchs Zimmer zu rennen und überall hinzuscheißen. Mein Mann brachte sie am nächsten Tag ins Tierheim zurück, wo man sie wohl getötet hat, und ich durfte, solange wir noch verheiratet waren, keine Katze mehr haben.

Folglich war ungefähr das erste, was ich tat, als ich nach der Scheidung mit meinem Sohn eine eigene kleine Wohnung bezog, mir eine Katze zuzulegen, die erste einer ganzen Reihe von Katzen. Das war, glaube ich, ein orangefarbener Kater namens Pukeltje, der anfangs wohl auch einen anderen Namen hatte. Dann gab es noch eine andere, eine ganz junge, doch die war den unsanften Spielen meines hyperaktiven Sohns nicht gewachsen und starb bald. (Schon möglich, daß Katzen gut für Kinder sind, aber nicht alle Kinder sind gut für Katzen.) An unseren späteren – robusteren – Katzen hat er das wiedergutgemacht, und heute ist sein Verhältnis zu Pu wesentlich besser als meins. Wenn Pu *seine* Schritte hört, rennt sie sofort zum Küchentisch, stellt sich, die Vorderpfoten auf der Stuhllehne, darauf, um ihm bei der Begrüßung so weit wie möglich entgegenzukommen und so vertikal und ebenbürtig, wie es eben geht. Bei mir macht sie das nicht. Ich bin ein enttäuschender Mensch. Aber die Geschichte kommt noch. Außer dem orangefarbenen Kater gab es irgendwann auch eine Katze, denn ich erinnere mich wieder an eine Kinderstube in einem Karton. Ein eigensinniges Tier, das, was den richtigen Platz für die Niederkunft anging, völlig anderer Meinung war als ich. Sie kam heimlich im Zimmer der Nachbarstochter nieder, mit dem Ergebnis, daß wir uns einen Nachmittag lang ständig auf dem Flur begegneten, ich mit den Jungen in der Hand, die ich in einen Karton in meiner Wohnung legen wollte, sie – mir böse Blicke zuwerfend – mit einem Kind im Maul, das sie gerade wieder aus dem Karton geangelt hatte, und wütend, weil ich die Tür zum Zimmer der Nachbarstochter zugemacht hatte, so daß sie ihre Kinder jetzt im Flur aufs kalte Linoleum legen mußte. Ich erinnere mich auch, daß ich bei einer ihrer nächsten Niederkünfte einmal die ganze Nacht lang mit den einladendsten Kartons und Handtüchern schmeichelnd hinter ihr herlief, weil sie Anstalten machte, im Spülbecken oder auf dem Tisch Junge zu kriegen, bis sie in letzter Minute, als hätte sie das die ganze Zeit vorgehabt, es aber genossen, mich einige Runden drehen zu lassen, in den Karton sprang, den ich für sie vorbereitet hatte, und sich ans Werk machte. Ein Junges behielten wir, einen kleinen Kater, aber als er erwachsen war, wurde er fortgejagt, hinaus auf die Dächer. Ich sah ihn noch manchmal von weitem, doch er hat nur einmal versucht zurückzukommen, als ich ihn rief. Als er fast an dem Fenster war, wo ich ihn mit einem Leckerbissen lockte, schoß Pukeltje hinaus und versohlte den Rivalen. Der ließ sich danach nie wieder blicken.

Als ich umzog, blieb Pukeltje da. Er war der König der Dächer, ich konnte mir nicht vorstellen, daß er sich in der neuen Wohnung ohne Garten, Balkon oder Zugang zur Dachrinne würde eingewöhnen können.

Miep hieß ursprünglich Louise, weil sie etwas äußerst Geziertes an sich hatte. Aber trotz ihrer übertriebenen Damenhaftigkeit war schon bald deutlich, daß sie von gewöhnlicherer Herkunft war, als sie selbst vorgab, und so wurde Miep daraus. Miep war sich zu fein, sich die Pfoten in ihrem eigenen Katzenklo schmutzig zu machen, und so setzte sie sich immer auf den Rand. Anstatt ihre Exkremente ordentlich zu verscharren, fuhr sie als Zugeständnis an ihre Instinkte mit der Vorderpfote ein paarmal über die Wand, was sich gräßlich anhörte, und damit hatte es sich dann auch schon. Ab und an kippte sie mitsamt ihrem Klo um, worüber Armin und ich immer schrecklich lachen mußten, vor allem wenn wir sahen, wie sie, auf einen Rest Würde bedacht, sich beim Aufrappeln den Staub aus dem Fell schüttelte.

Wir verloren Miep, weil sie immer wieder aus dem Küchenfenster hinunter auf den kleinen Hof der Nachbarn sprang. Die hatten Maschendraht darüber gespannt, weil die Katzen der Nachbarschaft das kleine Betonquadrat mit den Blumenkästen für ein öffentliches Katzenklo hielten. Saß Miep erst einmal auf diesem Maschendraht, konnte sie nicht mehr zurück. Unbeholfen rutschte sie auf dem Bauch hin und her und miaute so lange kläglich, bis wir sie wieder zurückholten. Ein Körbchen an einem Strick mit einem Stück Herz darin war auch keine Lösung, denn wenn wir versuchten, den Korb hochzuziehen, sprang sie wieder hinaus. Dummes Tier. Also mußte ich hinunter zu den Nachbarn, die mir halfen, das Drahtgeflecht beiseite zu schieben und Miep zu holen. Obwohl sie jedesmal schwer schnaufend vor Schreck in meinen Armen lag, hielt diese Erfahrung sie nicht davon ab, es wieder zu tun und immer wieder. Beim letztenmal war ich übers Wochenende verreist, ebenso wie die Nachbarn unten. Das Küchenfenster stand offen, als ich nach Hause kam. Miep war fort und hockte auch nicht auf dem Maschendraht. Eine Woche lang haben Armin und ich Zettel in Briefkästen gesteckt und unter jedem Auto und an jedem Zaun leicht geniert Miepie! Miepie! gerufen, aber wir haben sie nicht mehr gefunden. Vielleicht hatte sie eine vornehmere Bleibe gefunden.

Und dann gab es noch Pie, eine der liebsten Katzen, die ich je hatte, aber auch die merkwürdigste. Er stammte aus unserer eigenen Zucht, von unserer ganz gewöhnlichen Feld-Wald-Wiesen-Katze, die irgendwo einen flotten Exoten aufgegabelt hatte. Ich fand gleich, daß die Jungen ungewöhnlich aussahen, als sie aus den Eihäuten geleckt wurden. Erst dachte ich, sie seien weiß, aber nach ein paar Tagen färbten sich bei einigen die Öhrchen und Pfötchen dunkler, als hätten sie sich schon irgendwo schmuddelig gemacht. Da wurde klar, daß Mutter es mit einem Siamesen getrieben hatte. Pie war die schlimmste Mißgeburt des ganzen Wurfs, und deshalb behielten wir ihn. Eine Mischung aus Haus- und Siamkatze, die von beiden die am wenigsten attraktiven Merkmale besaß. Nicht den eleganten, schlanken Körperbau einer Rassekatze, sondern die gedrungene Gestalt einer gewöhnlichen Hauskatze, zwar die Farben einer Siamkatze, aber weiße Socken an den Pfoten. Ein halblanger Schwanz, die blauen Schielaugen eines Siamesen und dazu eine durchdringende Stimme. Und trotzdem, Pie war ein Schatz. Wenn er auf dem Rücken lag, konnte er lang werden wie ein Aal, er war eine Faltkatze, die man in jeder Position mitschleppen, zusammenknuddeln, in die Tasche stecken konnte. Vor allem Armin hatte ein inniges Verhältnis zu ihm.

Auch Pie blieb im alten Haus, als wir die Kommune verließen und zum x-tenmal weiterzogen, in eine winzigkleine Zweizimmerwohnung. Jahre später, bei der Enthüllung des Homo-Denkmals, kam ein junger Mann auf mich zu und fragte, ob ich Anja Meulenbelt sei und früher eine Katze gehabt hätte, die Pietje hieß. Ich erinnerte mich an keinen Pietje, aber dann erwähnte er den halben Schwanz. Pie! Und weißt du, wir erzählen immer dazu, daß das der Kater von Anja Meulenbelt war und daß du ihm eigenhändig den Schwanz abgeschnitten hast, sagte er. Ich vergaß ganz zu fragen, wie es Pie ging.

Es war an einem der ersten richtig warmen Sommerabende, als wir bei Elly de W. im Garten aßen, Elly, Gerda M. und ich. Rings um uns wurde das Grün immer dunkler, schließlich schwarz. Die Kerzen auf dem Tisch flackerten im schwachen Wind, wir hörten die Blätter rauschen und ganz in der Ferne die Brandung des Meeres. Wir sprachen über den idealen Gefährten für Schriftsteller weiblichen Geschlechts. Männer kamen von vornherein nicht in Frage, denn die sind selten bereit, für uns das zu tun, was wir jahrhundertelang für sie taten, wenn sie der Schöpferdrang überkam. Aber auch mit Frauen ist es nicht immer einfach, stellten wir fest, seit sie emanzipiert sind. Warum will jede Gertrude Stein sein und niemand Alice B. Toklas? Das einzige, was blieb, fanden wir, war für die Liebe jemand auf Teilzeit-Basis und für das tägliche Zusammenleben eine Katze.

Unter all meinen Katzen war Sara meine große Liebe.

Sie war der Prototyp einer Schriftstellerkatze. Sie

liebte es, in meiner Nähe zu sein, wenn ich konzentriert an der Arbeit saß, und wußte immer genau, welche Distanz ich brauchte. Wenn ich las, kam sie auf meinen Schoß, nie aber, wenn ich schrieb. Wie oft kam es vor, daß ich von meiner Schreibmaschine aufsah und merkte, daß sie sich inzwischen einen Meter entfernt von mir unter die Lampe gesetzt hatte und mich gedankenverloren betrachtete. Sie ließ mich soweit in Ruhe, wie ich es brauchte, und war doch da. Ein bißchen Gegenwart. Gemeinsam saßen wir in einer Wolke wortloser Vertrautheit. Stundenlang konnte das so gehen, mit genau dieser Distanz, genau dieser Nähe. Sonst brauchten wir niemanden.

Ein nicht eingeweihter Beobachter hätte nicht gedacht, daß sie meine Lieblingskatze war, denn es war immer Pu, die über meiner Schulter hing, mir um die Beine strich, vor lauter Aufregung nicht wußte, auf welchen Schoß sie sich legen sollte, wenn Besuch da war, und die allzeit bereit war, ihr einziges Kunststück vorzuführen. Alles für ein bißchen Aufmerksamkeit. Sobald ich Besuch hatte, verkroch sich Saar, aber auch wenn ich allein zu Hause war, hockte sie oft hinter den Büchern oder schaute von der Empore zu mir herunter.

Wir hatten sie über einen von Armins Klassenkameraden bekommen, als er noch aufs Spinoza-Gymnasium ging. Der war ein Enkel der Schriftstellerin Annie Romein-Verschoor, und das fand ich sehr passend, eine Katze aus einer Literatenfamilie. Dafür vergaß ich, wie Romein-Verschoor in einem Artikel in *Opzij* über mich hergezogen war, wegen meines mangelnden Talents, wahrscheinlich aber doch eher wegen meines neumodischen Feminismus, der absolut nicht ihr Fall war.

23

Saar hatte anfangs noch etwas von einer Urkatze an sich. Ein bißchen scheu, ein bißchen wild, entschlossen, sich vom Baum aus erst mal alles anzusehen. Mangels eines Baums nahm sie den Bücherschrank, und auch in der nächsten Wohnung, mit mehr Platz und mehr Büchern, blieb dies ihre Ausfallbasis. Saar richtete sich hinter den Büchern häuslich ein, von wo sie die Menschen gut im Auge behalten konnte, ohne daß wir sie auch gleich sahen. Ab und an bekamen wir Streit, wem die Bücher nun eigentlich gehörten, ihr oder mir, denn ich stellte sie manchmal um, und damit veränderten sich die Wände ihrer Wohnung. Die Türen befanden sich dann an anderen Stellen, und konservativ wie sie war, gefiel ihr das nicht. Meist siegte ich, doch es kam oft genug vor, daß sie die Bücher an Stellen, an denen sie vorher freien Zugang gehabt hatte, wieder hinausbeförderte. Ein Gast erschrak einmal fast zu Tode, als plötzlich, wir tranken gerade gemütlich Tee, zwei Bücher auf den Tisch plumpsten, gefolgt von Saar, die in solchen Situationen etwas von einem gestreiften Blitz an sich hatte.

Offiziell war sie nicht adlig. Sie war eine Tigerkatze, mit weißen Füßen und weißem Kinn. Wie es sie in Hülle und Fülle gibt. Aber gewöhnlich war sie nicht. Dafür war sie viel zu wohlproportioniert und zart. Als sie mit zwölf Jahren starb, war sie immer noch rank und schlank, schmaler als ihre Tochter.

Ein kleines dreieckiges Gesicht mit riesigen ingwerfarbenen Augen und großen Ohren mit dünnen Haarbüscheln, was den Eindruck unterstrich, sie wäre gerade erst ausgewachsen, auch als sie schon längst in die Jahre gekommen war. Vor allem ihre Zeichnung war wundervoll, dunkle Streifen auf Beige und warmem Grau. Um die Augen ein sorgfältiges Make-up aus schwarzen Linien. Ich hatte sie in Verdacht, daß sie früh aufstand, um mit einem feinen Pinsel diese Striche um ihre Augen zu malen, doch dann hätte sie die geflammte Zeichnung um ihre Muschi auch nachziehen müssen, und obwohl sie eine beneidenswert biegsame Wirbelsäule hatte, traute ich ihr das doch nicht zu.

Sie hielt auf Distanz. Gerade soviel Distanz, daß ich mich immer ein bißchen nach ihr sehnte, aber wiederum nicht soviel, daß ich gleichgültig geworden wäre und meine Zuneigung auf jemand anderen übertragen hätte. Nie vergaß ich, daß es ein Privileg war, wenn sie schließlich von sich aus zu mir kam, ihr Gesicht an meines oder an meine Hand drückte und ein leises «mek» von sich gab, während sie die Augen genießerisch schloß und ich sie kraulte, wo sie es wollte, bis sie ekstatisch mit den Pfoten in der Luft zu treten begann und mir in höchster Verzückung den beigen Bauch darbot.

So wie das Bewußtsein darum, welches Privileg es ist, mit diesem einen Menschen umgehen zu dürfen, Element jeder wahren Liebe bleibt, so band mich die Ausschließlichkeit ihrer Privilegien an Saar. Aufheben durfte ich sie nicht. Sie ließ es sich gefallen, wenn ich mit ihr zu schmusen versuchte, mit Flüstern, mit ausgestreckter Hand, mit einem Blick, aber immer war sie es, die bestimmte, ob sie darauf einging, mir mehr bieten würde als ein leichtes Schnuppern an meinen Fingern, wie ein kühles Küßchen, bevor sie mit dem fortfuhr, was sie gerade tat, was Katzen eben tun – was tun Katzen eigentlich?

Mit Armin verstand sie sich anfangs nicht so gut, denn der war an Miep gewöhnt, eine richtige Knuddelkatze, die man jederzeit mit ins Bett schleppen konnte. Armin fühlte sich wie ein verschmähter Liebhaber und begann sie zu ärgern. Mit der Blumenspritze. Jemandem mit Saars Charakter konnte das nicht viel anhaben, doch ihr Verhältnis zueinander wurde dadurch nicht besser. Wenn Armin ins Zimmer kam, war Saar schon verschwunden, und wo sie genau steckte, merkte man erst, wenn Armin an den Büchern entlangging und das leise Grollen immer lauter wurde. Wenn er an ihr vorbei war, ebbte es wieder ab. Armin lernte, daß man bei Frauen nichts ausrichtet, wenn man sie naß spritzt, und als er es eigentlich schon gar nicht mehr erwartete, verzieh Saar ihm seine Jugendsünden und schenkte ihm ihre Gunst.

Saar war eine Dame mit Stil, gleichzeitig jedoch eine Frau von kaum bezähmter Leidenschaft. Ich suchte nach einem Menschen, der ihr ähnlich wäre, und kam auf Inès de la Fressange, Star-Mannequin bei Chanel und Elly de W.s heimliche Liebe. Mehr noch ähnelte sie freilich Charlotte Rampling. Dieser Blick. Diese leicht perverse Suggestion: Trotz ihrer hocherotischen Ausstrahlung hat noch keiner sie wirklich besessen. Hat noch keiner sie wirklich gekannt, hat niemand gewußt, wie diese Leidenschaft zu entfesseln ist. Vielleicht du. Vielleicht.

Saar wurde rollig. Früher als ich erwartet hatte, sie schien mir noch so jung. Es war eine Katastrophe. Saar, mit der man sich sonst vernünftig unterhalten konnte, lief jetzt schreiend durchs Haus, auf der Suche nach – ach, wenn sie das nur wüßte. «Woooww», ertönte es in einem fort, wobei vor allem das letzte w aus solch tiefen, hallenden Gewölben zu kommen schien, daß ich mich fragte, ob da nicht ein elektronischer Verstärker im Spiel sei.

Nun bin auch ich manchmal rollig und fühlte mit ihr. Aber so schlimm, so völlig ohne Ansehen der Person, war es bei mir doch nie gewesen. Selbst beim heftigsten Anfall von Lust und Begierde sah ich mir das in Frage kommende Objekt wenigstens kurz an, wenngleich sich dieser Blick im nachhinein als durch Geilheit verschleiert erwies. Im nachhinein, ja. Manchmal kann ich wirklich nicht mehr verstehen, was ich einmal in jemandem gesehen hatte. Ab und zu passiert es mir, daß mich ein Herr auf einer Caféterrasse lauthals grüßt, und zwar auf eine Art und Weise, die deutlich macht, daß es ihm vor allem darauf ankommt, seinen Kumpeln zu verstehen zu geben, daß er mich nicht nur kennt, sondern mich

27

auch *gehabt* hat. So einen sehe ich mir dann noch einmal an, und die einzige Entschuldigung, die mir für meine Geschmacksverirrung einfällt, ist die, daß ich sehr jung war und sehr rollig. Viele Komplikationen im menschlichen Leben hängen mit der komplizierten Beziehung zwischen Lust und Liebe zusammen. Viele Frauen (auch ich) verlieben sich bei ernsthafter Geilheit auch sofort, was meist katastrophale Folgen hat. Im Gegensatz dazu gibt es Männer, die sich Lust nur dann erlauben, wenn sie sich nicht verlieben, und die bei den ersten Anzeichen wirklicher Leidenschaft panikartig die Flucht ergreifen.

In der menschlichen Liebe wimmelt es nur so von Mißverständnissen, unerfüllbaren Sehnsüchten und unvermeidlichen Blessuren, und das einzig Gute daran ist, daß es sich zu Literatur verarbeiten läßt.

Katzen aber schreiben keine Sonette. Ich wollte vom Liebesleben der Katzen berichten, nicht von meinem, obwohl es aufmerksamen Lesern längst klar sein dürfte, daß Schriftsteller immer von sich selbst sprechen, wenn sie vorgeben, über ihre Katze zu schreiben. All diese Macho-Kater in der Weltliteratur, all diese katzenhaften Verführerinnen: nichts als Projektionen. Man bitte einen Autor, etwas über sein Lieblingshaustier zu schreiben, und man bekommt reine Autobiographie, in der weniger gelogen und verschwiegen wird als in den offiziellen Ego-Dokumenten. Zurück zu Saar.

Das Liebesleben der Katzen ist sehr übersichtlich. Da ist einmal Sex, und Sex dient der Fortpflanzung und damit basta. Daneben gibt es Erotik, Sinnlichkeit und Intimität. Das dient dem Vergnügen. Und dann gibt es vielleicht auch noch so etwas wie Liebe, obwohl wir das auf

Grund der Tatsache, daß Katzen keine Sonette schreiben, nicht sicher wissen. Ich habe lange geglaubt, daß Katzen Liebe nur schätzen, wenn sie der Empfänger sind. Würden wir ihnen erlauben, unsere Einrichtung zu ramponieren, wenn wir sie nicht so abgöttisch liebten? Sie wissen es sehr zu würdigen, wenn sie geliebt werden, vor allem – ich versuche, mir hier nicht zu viele Illusionen zu machen –, wenn das gleichzeitig die Garantie für einen unablässigen Strom von Katzenfutterdosen und Liebkosungen zu ihnen genehmen Zeiten bedeutet. Aber kann man von Gegenseitigkeit sprechen? Besteht auf ihrer Seite mehr als eine Art pragmatische Zuneigung für denjenigen, der die notwendigen Dienstleistungen erbringt und darüber hinaus einen Körper von richtiger Temperatur, Größe und Konsistenz bietet, um darauf ein Nickerchen zu machen? So wie reiche Leute auch nie genau wissen, ob ihre jungen Geliebten wirklich sie lieben oder eher den gebotenen Luxus, wissen auch wir nicht sicher, ob Pukie eigentlich uns liebt. Das macht nichts, dachte ich.

Ich fand mich damit ab, daß es nun einmal so ist. Wer absolut sichergehen will, geliebt zu werden, kann sich schließlich einen Hund zulegen. Und doch habe ich ab und zu ein Katzenverhalten beobachtet, das auf uneigennützige Zuneigung hinzudeuten schien. Ruben kümmerte sich früher, als er noch bei seinem Vater lebte, um die Katzen. So gut werden sie es nie wieder haben, denn sie bekamen jeden Tag um fünf nach sechs ihr Fressen, leicht gewärmt, wie sie es am liebsten mochten. Aber Ruben ist schon eine Weile aus dem Haus und hat das Amt des Dosenöffners schon lange abgegeben. Und trotzdem stürmt Celes, wenn er kommt, immer noch auf ihn zu, springt auf den Tisch, um ihm näher zu sein, stellt sich auf die Hinterbeine, lehnt sich in voller Länge an ihn und fängt an, so aufgeregt und liebevoll mit ihm zu schwatzen, daß ich nicht weiß, was das sein soll, wenn nicht wahre Liebe. Um Fressen betteln klingt anders.

Um Streicheln bitten auch.

Vielleicht also doch Liebe. Bestimmt aber Erotik.

Daß Katzen erotische Geschöpfe sind, steht außer Frage. Eine Katze ist von Kopf bis Schwanz auf Genuß eingestellt. Man braucht sich nur einmal anzusehen, wie genüßlich sie sich nach einem Schläfchen reckt und streckt, wie sie sich in dem einen Streifen Sonne auf meinem Schreibtisch zusammenrollt, oder im Winter unter der Schreibtischlampe, die Augen geschlossen; man braucht nur einmal darauf zu achten, wie sie ihren Körper dem meinen anpaßt, um sich beim Schlafen so bequem wie möglich an mich zu kuscheln; man braucht nur zu beobachten, wie sie uns klarmacht, wo und wie sie gestreichelt zu werden wünscht und wie sie uns manchmal, pfötchentretend, ihren Bauch darbietet. Und dann Fressen, mmm, der Genuß eines Schüsselchens Fisch oder Herz, ein paar Schluck Wasser aus der Vase, sie leckt sich das Maul und die Schnurrhaare, minutenlang, leckt sich das Fell, bis es glänzt und gut riecht, und dann ist es schon wieder Zeit für ein Nickerchen, in das sie sich mit einem kleinen zufriedenen Seufzer hineingleiten läßt. Sie braucht keinen Kurs für Massagetechniken und auch keinen Assertivitätskurs, um ihrem Mann beizubringen, daß sie erogene Zonen hat und daß simples Rein-Raus nicht die beste Methode ist, ihr zu höchstem Genuß zu verhelfen. Über Erotik braucht man ihr nichts zu erzählen.

Sex dagegen ist etwas anderes. Sex ist eine grimmige Angelegenheit, Sex muß sein, aber zum Glück nur zwei- oder dreimal im Jahr. Von Erotik, von Verführung oder auch nur ein bißchen Zuneigung habe ich noch nie etwas gesehen, wenn sie rollig ist und die Kater der Umgebung dazu aufruft, ihre Pflicht zu tun. Kein genüßliches Nachspiel, keine gemeinsame Zigarette, kein vertrautes Einschlummern danach, an den Körper des anderen geschmiegt. Nein, wenn er nicht augenblicklich verschwindet, nachdem der Akt vollzogen ist, dann blühen ihm kräftige Tatzenhiebe, und ansonsten wünscht sie nicht, ihm noch einmal zu begegnen.

Meine Eltern hatten einmal ein etwas herrschsüchtiges Weibchen, ich weiß nicht mehr, wie es hieß, und meine Mutter hatte noch einen kleinen Kater dazugenommen. Das Weibchen wurde rollig, und obwohl der Teenie eigentlich noch ein bißchen zu klein war – es half nichts, er mußte dran glauben. Worum es ging, als er antreten mußte, wußte er nicht. Ihm war klar, daß er etwas tun sollte, aber was? Gehorsam kam er angezokkelt, als sie ihn rief, leicht erstaunt, denn bis zu diesem Augenblick hatte sie ihn immer nur angefaucht. Mehr als an ihr schnuppern tat er zunächst nicht. Sie roch zwar interessant, und er fing an, recht aufgeregt um sie herumzuschwänzeln, ließ sich dann aber doch durch ihren hin und her peitschenden Schwanz ablenken und sprang quietschvergnügt danach. Nein, Freundchen, so nicht! Spielen konnte er später, aber nicht mit ihr. Sie zog ihm eins über, und er suchte das Weite. Keine Sekunde später wurde er wieder laut schreiend herbeizitiert. Was jetzt, was jetzt, konnte man ihn denken hören, aber so langsam dämmerte ihm, worum es in etwa ging. Er bestieg sie. Jetzt wurde es verzwickt, denn jedesmal wenn er in Position gegangen war, fing sie an, wüst mit den Hinterbeinen zu treten, und dann kullerte er wieder herunter. Und wenn er sich vorschob, um sich in ihrem Nacken festzubeißen, kam er hinten nicht mehr dran, und sie kreischte in einer Tour frustriert, Blödmann, Idiot, Trottel! Endlich klappte es dann, auf dem Frühstückstisch, wir hielten alle den Atem an, um nicht zu stören, bis sie zum Schluß tief aufstöhnte und sich im selben Moment umdrehte, um ihn mit Pfotenhieben fortzuscheuchen. Und trotzdem hatte er, während er davonhumpelte, etwas Triumphierendes an sich.

Saars erste Rolligkeit standen wir gemeinsam durch, sie und ich. Ich kraulte sie hinter den Ohren und sagte ihr, ich verstünde zwar, was sie da gerade mitmachte, könnte ihr aber nicht helfen. Beim nächstenmal fand ich, ich müsse mich entscheiden, sie entweder sterilisieren oder decken zu lassen. Nun machte sich damals gerade zum letztenmal der Nesttrieb bei mir bemerkbar, was in meinem Fall nicht mit Rolligkeit verwechselt werden darf. Ein paar meiner Freundinnen, die schlauer gewesen waren als ich, bekamen erst jetzt, kurz vor Toresschluß, ihr erstes Kind, und überall sah ich kleine flauschhaarige Kinderköpfe. Ich hätte eigentlich in aller Ruhe auf Enkel warten sollen, was angesichts des Alters meines Sprößlings auch passender gewesen wäre, doch der machte wenig Anstalten. Ich schwankte, nicht ernsthaft, aber immerhin. Du oder ich, Saar, sagte ich zu ihr, und so war die Entscheidung schnell getroffen. Schließlich würde es bei ihr mit etwa acht Wochen Kinderversorgung getan sein, und das auch noch mit meiner Unterstützung, während ich mich auf zwanzig Jahre

Verantwortung hätte einstellen müssen, ohne daß meine Katze mir dabei eine große Hilfe gewesen wäre. Also ließ ich mich sterilisieren und suchte für Saar einen Kater. Das war leichter gesagt als getan, denn fast alle Kater in meinem Bekanntenkreis waren bereits arbeitsunfähig, und außerdem kannte ich fast nur Feministinnen, die aus Prinzip nur Kätzinnen hatten.

Auf Umwegen hörte ich von einem Kater, der noch konnte. Ich besuchte Saars künftigen Bräutigam und war zufrieden. Ein schwarzer Birmakater mit glattem, halblangem Haar und freundlichem Wesen namens Dander. Sein Bruder Deen war bereits aus dem Haus. Ich vereinbarte ein Rendezvous für Saar. Diesmal war sie von ihren Trieben so überwältigt, daß sie sich nicht ernsthaft wehrte, als ich sie in den Korb steckte, in dem ich sie sonst zum Tierarzt bringe. Ein paar Tage später wurde sie zurückgebracht, heiser und mit leicht verwildertem Blick. Es war vollbracht. Saar gab keinen Muckser mehr von sich und tat tagelang nichts anderes, als sich zu putzen und zu schlafen. Vor allem schlafen. Ein paar Wochen später stellte sich heraus, daß sie schwanger war.

Langsam wölbten sich ihre dünnen Flanken. Bei ihrer zierlichen Gestalt sah sie zum Schluß aus wie ein seltsames Packeselmodell in einer kleineren, gestreiften Ausführung. Normalerweise liebte Saar keine Einmischung in ihr Privatleben und verzog sich bei schlechter Laune, Unpäßlichkeit oder prämenstruellen Spannungen meist hinter die Bücher, wo sie keinem mit ihren Problemen zur Last fiel. Nie nervte sie einen mit Fragen wie: «Liebst du mich noch?» oder Vorwürfen im Stil von: «Du bist überhaupt nicht mehr lieb zu mir!» *A very private person. She kept herself to herself.* Aber als sie kurz vor der Niederkunft stand, wollte sie mich dabeihaben. Das rührte mich. Ich hatte es nicht erwartet und bereits schlaflose Nächte über der Frage verbracht, wie das gehen sollte, ein Wurf junger Katzen hinter den Büchern, und dann bestimmt noch im zehnten (Regal)Stock. Aber als sie mir unentwegt mrrrend um die Beine strich und mich mit großen Augen ansah, begriff ich, daß meine Anwesenheit erwünscht war, und machte es mir neben der Schachtel bequem, die schon seit Tagen bereitstand, allerdings ohne große Hoffnung, daß sie sich darin häuslich niederlassen würde. Was sie aber tat.

Die Geburt selbst verlief glatt. Während der Wehen

redete ich ihr gut zu – prima, mein Mädchen, phantastisch, du bist die schönste Katze der Welt, du machst es ausgezeichnet –, es schien sie zu beruhigen, und in rascher Folge legte sie ein kleines Geschöpf nach dem anderen hin. Auch beim Sauberlecken, Durchbeißen der Nabelschnur, Auffressen der Nachgeburt gab es keine Probleme. Ich brachte ihr Wasser: man bekommt Durst während der Geburt, wie ich mich erinnerte. Fressen mochte sie vorerst nicht.

Zum Glück waren es nur vier. Denn ich wußte, was sie nicht wußte – die großen Probleme kommen erst, wenn es mehr sind. Vier Junge können gleichzeitig an die Zitzen und schlafen danach ein, aber bei fünf oder mehr liegt eines immer ungünstig, und es gibt ein ewiges Gemaunze und Gedränge um die besten Plätze, so daß man als Mutter keinen Moment Ruhe hat. Wären es fünf gewesen, dann hätte ich ihr, auch im Hinblick auf ihre Jugend und zarte Konstitution, eines weggenommen. Ich hatte mir schon Gedanken gemacht, wie. Man kann sie vom Tierheim abholen lassen, hörte ich, aber dann leben sie bereits richtig, bevor sie totgemacht werden. Ich hatte schon einmal ein junges Kätzchen ertränkt, in einem Eimer mit lauwarmem Wasser. Ich hatte geglaubt, es würde nicht schwierig sein, wenn man es gleich macht, noch bevor es aus der Eihaut geleckt ist, noch bevor es richtig geatmet hat, aus warmem Wasser in warmes Wasser, es würde kaum etwas davon merken, dachte ich. Sonst bin ich nicht so zartbesaitet – wenn es um Essen geht, bin ich sogar ausgesprochen gefühllos. Ich esse im Prinzip so ungefähr alles, sobald es aufgehört hat, sich zu bewegen, und werfe ohne Gewissensbisse lebende Krebse in kochendes Wasser. Aber dieses Gefühl, die unerwartete Elastizität des Tierchens, das ich unter Wasser hielt, dieses winzige Geschöpf, das zu schwimmen versuchte, leben wollte, bis es endlich, endlich stillhielt und ich es in einer Tüte wegtun konnte, das ist eine Erinnerung, die ich nicht von den Händen waschen kann. Ich spüre es immer noch.

Es war nicht nötig. Die Tage waren voller häuslichen Glücks. Wann immer ich Zeit hatte, saß ich neben der Kiste, in der Saar leicht gekrümmt um ihre Jungen lag, die gerade stockend zu schnurren begannen. Dieser Friede, die kleinen Geschöpfe, die mit den Vorderpfötchen nach Milch traten, Saar, ebenfalls schnurrend und mit den Pfoten tretend, als würde sie selbst es erleben, die Augen vor Genuß halb geschlossen. Eine Kiste voll leiser Wonnelaute. Und dann dieser herrliche, reine, animalische Geruch.

Mit der Zeit konnte man sie voneinander unterscheiden. Sie waren alle verschieden. Ein ganz Getigertes, ein Getigertes mit weißen Pfötchen, ein Pechschwarzes und ein Schwarzweißes. Wie entzückend, das alles noch einmal zu erleben, die Milchmäulchen zu sehen, rosa Schnäuzchen mit zusammengerollten Zungen, zu sehen, wie Saar kleine Bäuche massierte und Hintern abschleckte. Der Haufen über- und untereinander schlafender Katzenkörper, die von Zeit zu Zeit in Wachstumskrämpfen zuckten. Die ersten Augen, die sich öffneten, blind, graublau. Die ersten Versuche, das Köpfchen auf wackligem Hals zu heben. Das eifrige Suchen nach einer Zitze. Das Geschmatze, wenn sie gefunden war. Die ersten Versuche, vier Beine zu koordinieren und ohne Zuhilfenahme des Bauches vorwärtszukommen. Ach, wie gern hätte ich, wäre ich kleiner gewesen, in dieser atmenden Masse mitgeschlafen, an Saars

Bauch. Ich gab mich zufrieden mit Lobgesängen auf Saar, die sie blinzelnd in Empfang nahm, wie schön sie sei, wie gut sie das gemacht habe. Ich hob die Kleinen unter Saars besorgten Blicken eines nach dem anderen hoch, um unter dem Schwanz nachzuschauen, lauter Weibchen, legte sie wieder zurück, wenn sie in meiner fremd riechenden Hand schrill «piu-piu» zu schreien begannen, stets gefolgt von Saars mütterlich besorgtem «mrrr».

Auch Katzen haben so etwas wie eine Pubertätskrise, die genau wie bei Menschen oft eher eine Krise der Eltern ist als eine der Jungen. Bei Katzen dauert sie nur ein paar Tage. Es ist die Zeit, in der die Jungen ihre Selbständigkeit erproben und aus dem Nest zu krabbeln versuchen. Eine Katze mit intaktem Instinkt hat in diesen ersten Tagen, wenn die Kleinen Reißaus zu nehmen drohen, alle Hände voll damit zu tun, den Wurf beisammen zu halten. Da eine Katze aber keine Hände hat, sondern nur vier Pfoten, läuft das anders als bei uns. Ohne Pardon packt eine Katzenmutter das Junge mit den Zähnen am Nackenfell und schleppt es wieder zurück in die Kiste. Ich habe schon Katzen gesehen, die, wenn sie ihre Jungen herumschleppten, das ganze Köpfchen im Maul hatten – ein gräßlicher Anblick, aber es geht immer gut.

An diesem Punkt zeigte sich, daß mit Saars Mutterinstinkten etwas nicht in Ordnung war. Als die ersten Jungen aus der Kiste herauskrabbelten, wußte sie nicht recht, was sie tun sollte. Sie wußte zwar, daß die Kleinen wieder hineinmußten, aber nicht, wie das zu bewerkstelligen wäre. Sie fing an zu beißen, das schon, und wenn eines von ihnen wie eine Krabbe über das Linoleum krauchte, knuffte sie es ins Bein oder in den

Rücken; aber dann sah sie mich mit großen Augen voller Fragezeichen an, ob ich vielleicht wüßte, was sie tun sollte. Dann setzte ich die Jungen wieder in die Kiste zurück, und für den Augenblick war sie zufrieden. Eine solche Krise dauert normalerweise ein bis zwei Tage, bis die Katzenmutter sich damit abfindet, daß alle Einfangversuche verlorene Liebesmüh sind, und merkt, daß die Kleinen schon zurückkommen, wenn sie Hunger haben, und daß sie selbst sich auch mal einen kleinen Ausflug gönnen kann. Sara aber kapierte das nicht.

Einmal hing ein Kleines mit den Vorderpfötchen am Schachtelrand und konnte weder vor noch zurück. Ich hörte das schrille Piu-Piu, danach Saars unruhiges Mrr, das immer nervöser und lauter wurde, und als ich hinlief, sah ich Saar wie ein Eichhörnchen auf den Hinterbeinen sitzen, während sie mit den Vorderpfoten versuchte, ihr Kind vor dem Absturz zu bewahren. Wie sie die Kleinen am Nackenfell packen mußte, hatte sie nie gelernt, und mit der Zeit wurde deutlich, daß Saar keine gute Mutter war. Ich konnte ihr das nicht verübeln. Schließlich war auch ich nicht gerade ein Musterexemplar gewesen, war oft als Rabenmutter bezeichnet worden, und in einem meiner ersten Artikel gab ich das auch zu: Ich wäre ein netter Vater gewesen, aber ich war eine schlechte Mutter.

Saar begann, die Kleinen zu vernachlässigen. Die mußten sie oft endlos suchen, wenn sie Hunger hatten, und dann mußte ich Saar überreden, wieder hinter den Büchern vorzukommen und ihre Pflicht zu tun. Wenn eines ihrer ausgebüxten Jungen irgendwo unter dem Sofa quäkte, rannte sie dorthin, um ihm die Zitzen hinzuhalten, aber kaum lag sie, da meldeten die Kleinen in der Schachtel sich ebenfalls, und dann rannte sie wieder zurück und ließ das Junge unter dem Sofa empört schreiend liegen. Sie wurde sehr nervös davon.

Wir wissen nicht, wer zuerst krank wurde, Saar oder die Kleinen, auf jeden Fall lag Saar eines Tages schlapp auf dem Schrank, und ihre Kinder hatten angefangen, komisch zu niesen. Zunächst sieht das drollig aus, so ein Kleines, das kaum auf den Beinen stehen kann und von einem Hatschi, fast größer als es selbst, umfällt, aber als sie alle zu niesen anfingen, sahen Armin und ich uns an und sagten: Katzenschnupfen.

Ich steckte mir ein paar in die Manteltasche und ging zu Doktor van Santen, der die Diagnose bestätigte. Saar hatte irgendeine Darminfektion, und auch die Kleinen waren schwerkrank. Viel Hoffnung machte Doktor van Santen uns nicht, gab uns aber Medikamente mit, Antibiotika, die eigentlich für Menschenkinder bestimmt waren, künstliche Milch und Pipetten.

Die nächsten Tage waren Armin und ich unentwegt mit der Krankenpflege beschäftigt. Anfangs war das nicht schwierig, die Kleinen waren teilnahmslos, und ob wir ihnen eine Pipette mit Antibiotika oder eine Pipette mit künstlicher Milch ins Mäulchen steckten, schien ihnen nicht viel auszumachen, aber je kräftiger sie wurden, desto schwieriger wurde es. Die Antibiotika schmeckten nach Himbeere, was Katzen nicht gerade mögen. Milch wollten sie wohl, doch die kam aus derselben Pipette, und das brachte sie leicht durcheinander. Jedesmal wenn wir uns an den Döschen zu schaffen machten, ergriffen sie blitzartig die Flucht und mußten von Armin erst wieder eingefangen werden, bevor wir jedem seine Portion geben konnten. Das ging so ein paarmal am Tag. Sie lernten auch, das eklige rosa Zeug prustend auszuspucken, so daß wir beide reichlich davon abbekamen.

Aber sie kamen durch, alle vier. Saar schien das ziemlich kalt zu lassen. Sie war inzwischen selbst wieder zu Kräften gekommen, schaute aber von oben auf den Tierzirkus herunter, als hätte sie damit nichts zu tun.

Ich glaube auch nicht, daß es Sara viel ausmachte, als wir ihre Kinder fortgaben. Armin und ich fanden es schrecklich, aber es ging nicht anders. Wir bewegten uns schon eine ganze Weile in einer Art schlurfendem Eislaufschritt durchs Haus, weil ständig ein Tier dort war, wo man gerade seinen Fuß aufsetzen wollte. Sie waren inzwischen groß genug, um pausenlos hintereinander herzuflitzen, über die Empore, wobei das erste, das noch nicht gelernt hatte, rechtzeitig zu bremsen, gegen die Jalousie knallte und das zweite dann mit Blume und allem hinunterfiel. Sie mußten jetzt wirklich fort. Aber eines wollten wir behalten.

Ursprünglich hatten wir uns die Schwarze ausgesucht, die die gleiche zierliche, fast ägyptische Gestalt zu bekommen schien wie ihre Mutter, doch da war diese kleine Schwarzweiße mit dem runden Clownsgesicht, die sich uns ausgesucht zu haben schien. Sie war diejenige, die immer auf uns herumturnte, die erste, die sich halbwegs zufriedenstellend streicheln ließ – die Kleinen müssen erst lernen, den richtigen Gegendruck zu geben, durch den das Streicheln sowohl für den Menschen als auch für die Katze zu einer angenehmen Beschäftigung wird –, und sie war die erste, die sich zum Schlafen lieber an mich kuschelte als an ihre Schwestern. Also die, beschlossen wir.

Armin und ich haben verschiedene Versionen, wie sie zu ihrem Namen kam. Ihm zufolge schreibt sie sich Pu wie Pu der Bär. Meiner Erinnerung nach hieß sie erst Puh mit h, weil ich laut Armin mit diesem Ausruf auf ihr wieder ausgewürgtes Mittagessen in meinem Bett reagierte. Oder hatte uns ursprünglich Puma vorgeschwebt?

Ach, Pu.

Pu HAT ein hündisches Wesen. Das ist durchaus nicht als Kompliment gemeint. Ich betrachte es eher als einen Defekt.

Mein Verhältnis zu Hunden ist das gleiche, das viele Feministinnen zu Männern haben: Als Gattung taugen sie nichts, aber einige Einzelexemplare sind passabel, und außerdem können sie nichts dafür, daß sie keine Frauen sind. Hunde sind mir im allgemeinen zu servil, zu unterwürfig, zu abhängig. Sie riechen schlecht. Sie sabbern. Sie lecken.

Katzen lecken zwar auch, aber sie lecken trocken, mit rauher Zunge. Wenn Hunde lecken, fühle ich mich immer an die unerbetenen Intimitäten abschmatzender Tanten erinnert. Igitt. Und wenn es Rüden sind, haben sie diese Schlabberhoden, die bei kurzbeinigen Modellen, wenn sie sich bewegen, fast über den Boden schleifen. Außerdem knabbern sie ständig obszön an ihren Geschlechtsteilen herum. Ach, wie anders wäscht Saar ihre kleine Muschi, ein Hinterbein mit gespreizten Krallen graziös in die Luft gestreckt. Mit so einer Wirbelsäule wären alle feministischen Selbstentdeckungskurse mit Hilfe von Handspiegel und Spekulum überflüssig.

Mein Mißtrauen gilt nicht nur Hunden, sondern auch

ihren Herrchen. Allein schon das Wort: Herrchen. Eine Katze lacht sich krank, würde man ihren Menschen so nennen. Sie läßt sich nichts vormachen, wenn es darum geht, wer Herr im Haus ist. Unter Hundebesitzern findet man verhältnismäßig viele, die sich am liebsten in kurzem, lautem Herumgeschnauze artikulieren. Von draußen höre ich ständig: Sitz! Ab! Komm heerrr! Solche Menschen würden sich nie eine Katze zulegen, denn die reagiert nicht auf Befehle in diesem Ton. Natürlich gibt es, so erstaunlich ich das auch finde, Menschen, die sowohl Hunde als auch Katzen lieben. Eine Art Bisexualität, wie sie inzwischen ja selbst in den besten Kreisen zu finden ist. Also versuche ich, Menschen gegenüber tolerant zu sein, die sowohl Hunde als auch Katzen lieben. Muß alles möglich sein. Daß Pu ein hündisches Wesen hat, ist nicht ihre Schuld. Es liegt an ihrem Sozialisationsprozeß. Sie ist nicht hündisch geboren, sie ist es geworden, um mit Simone de Beauvoir zu sprechen.

Ich glaube, Saars Kinder sind zu früh aus der mütterlichen Symbiose gestoßen worden. Menschen verhalten sich in einem solchen Fall entweder übertrieben selbständig oder klammern sich zwanghaft an andere. Und wehe, wenn dieser andere sich kurzfristig aus der erstickenden Umarmung lösen will, um einmal tief durchzuatmen – dann bricht heillose Angst aus.

Vielleicht hat Pu noch versucht, den Kontakt wiederherzustellen, doch Saar wollte nichts davon wissen. Daß sie miteinander verwandt sind, war an nichts zu erkennen. Sie waren vom Wesen her völlig verschieden. Saar unabhängig, Pu für eine Katze ungewöhnlich anhänglich, um Beachtung quengelnd und quäkend. Saar wild, Pu zahm. Einmal brachte ich Armin aus Paris einen Spielzeugvogel mit, wie man ihn vor dem Centre Pompidou bekommt. Wenn man ihn aufzieht, flattert er eine Zeitlang täuschend echt in der Luft herum. Ich führte das Ding in der Küche vor. Innerhalb einer Sekunde, noch bevor die Mechanik die Flügel zweimal hatte schlagen lassen, kam Saar angeschossen, hatte es mit einem Pfotenhieb aus der Luft geholt und sich triumphierend daraufgesetzt, während es noch letzte Zukkungen von sich gab. In derselben Sekunde war unsere dicke Pu die Treppe hinaufgesaust, hatte sich unter dem Schrank verkrochen und blieb für Stunden verschwunden.

Pu ist dumm. Die simpelsten Dinge begreift sie nicht. Zum Beispiel Wind. Sie begreift nicht, daß sie sich nicht unter einem Schrank zu verkriechen braucht, wenn draußen ein Lastwagen vorbeifährt. Bis jetzt ist noch kein einziger durch die Hauswand hereingekommen, obwohl manchmal nicht viel daran fehlt. Feuer begreift sie auch nicht, und nur allzuoft hatten wir beide einen merkwürdigen Brandgeruch in der Nase, bis ich Pus Schwanz aus dem Teelicht zog. Auch ihre Schnurrhaare mußten oft daran glauben, weil sie unbedingt in die Flamme schauen mußte. Was Wasser ist, hat sie mit Müh und Not gelernt. Sie findet es faszinierend. Stundenlang hockt sie neben dem tropfenden Hahn in der Küche. Schaut dem Tropfen nach, bis er im Abfluß verschwindet. Bekommt den nächsten Tropfen auf den Kopf. Schaut erstaunt hoch, wo der wohl herkam, und bekommt einen auf die Nase. Dann schüttelt sie verdutzt den Kopf, und das Spielchen fängt wieder von vorne an.

Es soll ja wirklich dumme Katzen geben. Tine hatte eine, einen Kater namens Gabriel, der zwar die Treppe hinauf-, aber nicht mehr herunterkam. Und doch ging er immer wieder nach oben und pinkelte in ihr Bett, wenn sie nicht rechtzeitig nach Hause kam, um ihn wieder hinunterzutragen. Gabriel war wild auf Honigkuchen. Das schien eine Möglichkeit, ihm beizubringen, wie er die Treppe auch runter schaffen könnte. Tine legte ein Stück Honigkuchen auf die oberste Stufe. Als er das gefressen hatte und sich rasch wieder zurückzog, legte sie ein Stück auf die nächste Stufe und so weiter, bis er schließlich die ganze Treppe bewältigt hatte. Unten angelangt, machte er auf dem Absatz kehrt und rannte wieder hinauf, wo er miauend kundtat, daß er hinuntergetragen zu werden wünschte. Seltsame Windungen eines Katzenhirns: Eine Treppe mit Honigkuchen ist etwas ganz anderes als eine Treppe ohne.

Saar und Pu mochten sich also nicht. Rückte eine der anderen zu dicht auf den Pelz, so fauchte die sofort los. Das hielt sie geschmeidig und schlank und in Trab, denn sie ließen sich den ganzen Tag nicht aus den Augen. Wollte ich wissen, wo Saar war, dann brauchte ich nur zu schauen, wo Pu gerade hinsah, und umgekehrt.

In entscheidenden Momenten verbündeten sie sich allerdings auch. Zum Beispiel bei der Schlacht ums Schlafzimmer. Saar schlief immer bei mir im Bett. Folglich wollte Pu das auch. Kein Problem, wenn sie sich gegenseitig in Ruhe gelassen hätten, aber ich wurde ständig wach, weil sie sich anknurrten und fauchten, und mehr als einmal kam es auch vor, daß sie sich jagten und meinen schlafenden Körper als Sprungbrett benutzten. Das wurde mir zu bunt, und ich beschloß, sie aus dem Schlafzimmer zu verbannen, bis sie Manieren angenommen hätten. Nun ist mein Haus, wenn man das auf dem Papier erklären soll, etwas kompliziert gebaut. Es ist ein ehemaliges Geschäftshaus und hat, wie so viele kleine Läden in unserem Viertel, ein Entresol, ein Halbgeschoß mit einer Art kleiner Empore davor, von dem aus man in den Ladenraum blicken kann. Dieses Entresol ist mein Schlafzimmer. Für mich ist es über eine Treppe und eine Tür zu erreichen, aber die Katzen kön-

46

nen auch noch über die Empore und eine Glastür hinein. Das Problem war, daß ich nur unten einen Ofen habe. Im Winter reicht es aus, wenn ich die Tür zur Empore offenlasse, damit auch das Schlafzimmer einigermaßen warm ist, aber jetzt mußte sie natürlich wegen Saar und Pu geschlossen werden. Ich vermißte sie, meine Katzen, wegen der Wärme, und sie vermißten mich, wahrscheinlich aus dem gleichen Grund. Also verbündeten sie sich, um mich wieder umzustimmen.

Pu fing an, morgens zu unchristlich früher Stunde an der Schlafzimmertür zu poltern, und Saar hatte sich auf der Empore postiert. Wurde ich von dem Radau wach, dann sah ich ihre Ohren und Augen gerade noch über den Rahmen der Glastür lugen, von wo aus sie beobachtete, ob sich schon etwas tat. Dann gab sie mit ihrem Walkie-talkie an Pu durch, sie solle noch ein bißchen zulegen, und so hatten sie mich mit vereinten Kräften jedenfalls früh aus dem Bett. Der Erfolg war etwas zu fressen und danach das noch warme Lager. Mich kostete es die Nachtruhe, und außerdem war mir kalt. Erst glaubte ich noch, eine schlaue Idee gehabt zu haben, als ich das Glas in der Balkontür durch ein Fliegengitter ersetzte, das zwar die Wärme, nicht aber die Katzen durchließ. Das paßte ihnen gar nicht, denn jetzt konnten sie das kuschelige Bett nicht nur sehen, sondern auch noch riechen, und gemeinsam machten sie sich daran, dieses Hindernis zu beseitigen. Eines der unangenehmsten Geräusche, die ich kenne, ist es, Katzenkrallen über ein metallenes Fliegengitter kratzen zu hören. Sie siegten. Ich ließ die Tür nachts wieder offen. Immerhin bekamen sie nach dieser bemerkenswerten Kooperation etwas seltener Krach, der auf meinem Körper ausgefochten werden mußte.

Mit saar konnte man wirklich reden, mit Pu nicht. Nun gibt es öfter Katzen, mit denen man reden kann. Ich erinnere mich an eine, die in der Dachrinne gegenüber saß, als ich mich einmal aus dem Fenster meines Arbeitszimmers beugte; ich kommunizierte minutenlang mit ihr, sie einen Satz, ich einen Satz. Katzen hören fast immer zu, wenn man etwas zu ihnen sagt, auch wenn sie sich nach Kräften bemühen, es zu verbergen. Selbst wenn eine Katze einem den Rücken zuwendet – sobald man von ihr spricht, kann man an der Stellung ihrer Ohren erkennen, daß sie mithört.

Als Probe aufs Exempel, denn Armin hatte das auch festgestellt, sagte ich manchmal während eines Gesprächs mit ihm etwas, das die Katze betraf, zum Beispiel, ohne den Ton zu verändern: Morgen schneide ich der Katze die Ohren ab. Und tatsächlich, nicht nur, daß ihre Ohren sich augenblicklich zurückbewegten, wir sahen auch das nervöse Zucken im Fell oberhalb des Schwanzes, das Unbehagen verrät. Sie hören sogar noch in großer Entfernung, daß man von ihnen spricht. Ich stand einmal mit meinem Liebsten auf dem Balkon eines Hotels in Tel Aviv und unterhielt mich mit ihm über unsere Erlebnisse an diesem Tag, als ich unten auf der Straße eine Katze sitzen sah. Wir befanden uns mindestens im fünften Stock. Schau, eine Katze, sagte ich zu ihm. Denn wenn ich lange von meinen Schnurrviechern getrennt bin, wächst meine Sehnsucht nach Katze, und dann finde ich sie alle begehrenswert. In dem Moment, in dem ich das sagte, nicht einmal laut, schaute sie herauf, und sekundenlang waren unsere Blicke miteinander verbunden.

Saar sagte nie viel bei unseren Gesprächen, aber sie hörte zu. Manchmal öffnete sie kurz ihr Mäulchen, lautlos oder für ein kurzes Mek, aber meistens sprach sie mit den Augen. Blinzeln könnte man diese Sprache wohl am besten nennen.

Sie kniff kurz die Augen halb zu, und dann noch einmal, während sie die Nase ein ganz klein wenig hochzog. Ihr Zeichen der Zustimmung. Ob sie wirklich einer Meinung mit mir war, weiß ich nicht, aber sie genoß unser Gespräch.

Ich verabschiedete mich auch immer von ihr. Selten versäumte ich es, beim Weggehen den Katzen Bescheid zu sagen, ihnen zumindest zu versichern, ich käme wieder. Von Saar kam dann immer dieses kleine Augenspiel, blink, blink, mit leicht erhobener Nase. Dann wußte ich, es war in Ordnung, daß ich ging, vorausgesetzt, ich käme wirklich wieder.

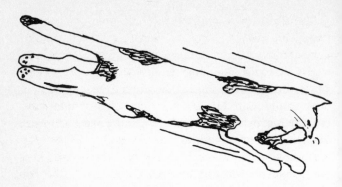

Saar war, allein schon auf Grund ihrer fast ständigen Darmerkrankungen, ewig hungrig. Sie fraß zwar das normale Katzenfutter, war aber wild auf alle etwas exotischeren Genüsse. Kaninchen! Huhn! Steak! Roastbeef, alles was blutete, mmmm! Wenn sie in der Nähe war, war es fast unmöglich, ein Hähnchen zu essen, ohne ständig mit den Ellbogen zu fuchteln oder die Hand mit der begehrten Keule hoch in die Luft zu halten, mit dem Erfolg, daß man selbst auch nicht mehr darankam.

Wenn ich Leute zum Essen eingeladen hatte, mußte ich Saar vorher mit einer großen Portion ihres Lieblingsfutters bestechen, und selbst dann zog sie manchmal noch knurrend mit einer Forelle ab, aus Prinzip. Das einzig Gute an Saar war, daß sie den Unterschied zwischen Essen, das für sie bestimmt war, und solchem, das wir lieber selber gegessen hätten, ganz genau kannte, denn wenn sie sich über etwas hermachte, das nicht für sie gedacht war, dann knurrte sie so laut, daß ich es sofort merkte; was folgte, war das Gezerre an den Lammkoteletts, sie auf der einen Seite, ich auf der anderen, wobei sie auch vor dem Einsatz ihrer Krallen nicht zurückschreckte.

50

Natürlich war auch der Mülleimer nicht vor ihr sicher. Anfangs hatte ich einen mit einem Schwingdeckel, sehr praktisch, wenn man gerade beim Kochen ist und schmutzige Hände hat, weil man etwas hineinwerfen kann, ohne den Deckel erst hochheben zu müssen. Für Saar war es ein Kinderspiel, da einzubrechen. Für die dumme Pu, die es ihr einmal nachzutun versuchte, nicht, die klemmte sich dabei ein; ein ulkiger Anblick, so ein knurrender Mülleimer, aus dem ein schwarzer Schwanz heraushängt. Aber auch solche mit einem normalen Deckel waren nicht katzensicher. Wenn ich die sterblichen Überreste eines Coq au vin oder eines Kaninchens mit Thymian und Senf darin deponiert hatte und vergaß, den Deckel mit meinen schwersten Pfannen zu versiegeln, wurde ich unweigerlich nachts vom lauten Krach-krach der Gebeine zwischen ihren Kiefern geweckt. Es wäre ja noch kein Beinbruch gewesen, am nächsten Morgen im ganzen Haus Knochenreste auflesen zu müssen, wenn ich nicht gewußt hätte, daß auf das Krach-krach sehr bald Saars rhythmisches Wok-wok folgen könnte, wenn sie alles wieder auskotzte. Wenn sie das wenigstens auf dem Linoleum getan hätte und nicht immer auf meinen noch nicht kopierten Schreibmaschinenseiten oder auf der sauberen Wäsche oder in eine offenstehende Tasche!

Saar interessierte sich für fast alles, was sich auch nur im entferntesten als Nahrung deuten ließ. Sie fraß Erdnüsse, sie fraß Schokolade. Folglich fraß sie auch meine Nußschokolade, mein heimlicher Tröster, wenn ich mich mal emotional leicht vernachlässigt fühle.

Pu nicht. Pu mag nur Junkfood, Dosenfutter und die

einfachste Sorte Trockenfutter. Rohes Herz hält sie für Spielzeug, für eine tote Maus, die mit Pfotenhieben durchs Haus bewegt werden muß. Daß man das essen kann, will ihr nicht in den Kopf.

MEINE BESUCHER pflegten immer zu sagen, daß es in meinem Haus ohrenbetäubend nach Katzen stinke. Das stritt ich dann immer entrüstet ab. Erstens stank es nicht, und zweitens waren es nicht die Katzen, sondern das, was die Katzen *machten*.

Katzen stinken nie. Es gibt keinen herrlicheren Geruch als den, der mir in die Nase stieg, wenn ich mich über Saars Kopf beugte, und kein schöneres Plätzchen für meine Nase als zwischen ihren Ohren. Eine meiner inzwischen Ex-Liebhaberinnen roch auch so ähnlich, und das wird in nicht geringem Maße dazu beigetragen haben, daß ich auf sie flog. Wenn Saar etwa einssechzig groß gewesen wäre und so an die sechzig Kilo gewogen hätte anstatt ihrer paar mickrigen Pfunde, und wenn sie beim Liebemachen ihre Krallen etwas weniger leidenschaftlich eingesetzt hätte, weiß ich nicht, ob ich was mit dieser anderen Frau angefangen hätte. Aber wenn ich eine Weile weggewesen war und meine Wohnung wieder betrat, dann mußte ich zugeben, daß es penetrant roch.

Das erste Problem war, daß Pu und Saar im Prinzip nicht hinauskonnten. An der Kreuzung, an der ich wohne, können Autos von allen vier Seiten gleichzeitig angebraust kommen, auch wenn das offiziell verboten ist. Ich wohne unten, und wenn die Katzen aus der Tür sausen, kommen sie sofort unter die Räder. Es ist eine Gegend, in der ständig Zettel an Schaufenstern und Zäunen kleben: Vermißt, Ukkie, zwei Jahre alt, schwarz mit weißen Pfötchen. Sie wollen auch gar nicht unbedingt hinaus. Einmal muß Saar zur Tür hinausgelaufen sein, als die während des Hausputzes offenstand; sie konnte den Staubsauger nicht leiden, der fauchte, brummte und über den Boden kroch, und offensichtlich wurde die Tür wieder geschlossen, ohne daß ich darauf geachtet hatte, ob Saar drinnen war. Eine Woche lang war sie verschwunden und ich verzweifelt. Nicht nur, weil sie mir fehlte, es war mehr noch die Ungewißheit, wie es ihr ging, ob sie krank war, angefahren, gekidnappt, ins Tierheim gebracht. Eine Draußenkatze war sie nicht, ich sehe noch ihr komisches Gesicht vor mir, als sie zum erstenmal mit einem fremden, unsichtbaren Etwas Bekanntschaft machte – dem Wind. Draußen gefiel es ihr nicht, und wenn es nach ihr ging, war sie immer gleich wieder drinnen. Nach einer Woche berichteten die Nachbarn von gegenüber, daß Saar bei ihnen angelaufen gekommen sei und auf dem Sofa schlafe. Ich nahm sie in Empfang; ihr ohnehin schon magerer Körper bestand jetzt nur noch aus Haut und Knochen, das Fell war stumpf, aber es war immer noch meine Saar, die zufrieden seufzend am Ofen ratzte. Pu verschwand eine Woche später ebenfalls für ein paar Tage, aus Eifersucht, nehme ich an, wegen des Jubelgeschreis, das ihre Menschen veranstaltet hatten, als Saar wieder da war, das wollte sie auch mal erleben. Drei Tage später berichteten wieder andere Nachbarn, bei ihnen sitze eine schwarzweiße Katze hinter dem Heizkessel. Ich holte sie ab, aber jetzt, beim zweitenmal, war der Empfang nicht mehr ganz so jubelnd. Seitdem wagten sie sich, wenn die Tür offenstand und ich draußen arbeitete, nur noch bis zu meinem Stuhl vor; darunter fühlten sie sich sicher, und bei jedem Auto oder Kind, das vorbeikam, rannten sie wieder hinein.

Sie kamen also selten ins Freie und hatten ein Katzenklo. Das machte ich regelmäßig sauber, aber trotzdem kam es ziemlich oft vor, daß kleine und große Geschäfte danebengingen. Menschen, die keine Katzen haben, muß man das erklären: So etwas passiert nicht, weil Katzen unsaubere Tiere sind, sondern, im Gegenteil, weil sie so reinlich sind. In ein schmutziges Klo setzen sie keine Pfote.

Zuerst dachte ich, es läge daran, daß Saar und Pu, die sich nicht riechen konnten, nicht auf dasselbe Klo wollten, und stellte ein zweites daneben. Das half etwas, aber nicht viel. Immer häufiger hatte Saar etwas an Blase oder Darm, und soviel Streu Armin auch anschleppte und so oft ich die Katzenklos auch saubermachte, es ging immer wieder daneben.

Nun geht es bei Katzen nicht einfach so daneben, denn Katzen haben Regeln. Die sind ziemlich leicht zu verstehen. Die eine Gedankenverbindung läuft über das Stichwort *Klo*, die andere über das Stichwort *Katzenstreu*. Ist das Katzenklo nicht mehr frisch genug, dann erlaubt sich eine Katze, Ersatz dafür zu suchen, und Saar wählte in der Regel etwas aus, das sie an die Form ihres *Klos* erinnerte. Das heißt also das Spülbecken oder eine Spülschüssel, eine Tasche oder den Papierkorb. Auch der Deckel der Schreibmaschine ging, aber den mußte sie manchmal erst umwerfen. Das alles war ja noch nicht so schlimm, ich konnte ihrer Logik folgen und sah ein, daß sie sich bemühte, sich an die Regeln zu halten. Ärgerlich wurde es erst, als sie immer mehr Dinge mit dem Begriff *Klo* assoziierte und zum Beispiel entdeckte, daß mein Schuhschrank mit tollen Gegenständen vollstand, die man bei einiger Phantasie durchaus als kleine Klos betrachten konnte. Die andere Assoziationskette lief über den Inhalt des Katzenklos. In anderen Häusern nehmen Katzen manchmal Zuflucht zu einem Blumenkasten, was ich nicht so schlimm finde, denn ich mache mir nicht viel aus Pflanzen – ich mag keine stumm vor sich hinkümmernden Wesen, und daß ich ab und zu doch neue kaufe, liegt mehr daran, daß Odilie auf dem Noordermarkt mich immer so köstlich als «Püppchen» oder «Madamchen» tituliert. Ansonsten hat nichts in meinem Haus Ähnlichkeit mit Katzenstreu. Weh denen, die ihre Katzen an Zeitungsschnipsel gewöhnen, denn diese Tiere können eigentlich nicht mehr mit lesenden Menschen zusammenwohnen. Saar zog ungelesene Zeitungen gelesenen absolut vor, was mir gar nicht recht war, und pinkelte lieber auf die *Volkskrant* als auf den *NRC*, was ich verstehen kann. So gab es eine Zeitlang einen heftigen Kampf zwischen ihr und mir, wer die Morgenzeitung als erster erwischte. Manchmal schrak ich um sechs Uhr hoch, wenn ich das leise Klappern des Briefschlitzes hörte, und stolperte schlaftrunken nach unten, um die Zeitung gerade noch rechtzeitig unter Saar hervorzuziehen. Aber meist verschlief ich das Klappern und saß dann mit einer nassen, übelriechenden *Volkskrant* bei meinem Frühstücksei. Bis ich auf die Idee kam, einen kleinen Korb unter die Klappe zu hängen. Eine Zeitlang versuchte Saar noch empört, die Zeitung aus dem Korb zu zerren, gab das aber auf, als sie das nächste Objekt entdeckte. Den *Varagids*. Warum gerade die Programmzeitschrift, ist mir ein Rätsel. Vor lauter Verzweiflung habe ich ihr auch schon mal einen alten neben ihr Klo gelegt, aber das war nicht ganz das gleiche, es mußte das Programm der laufenden Woche sein. Das lag normalerweise auf dem Fernseher, und da mußte es folglich runter, denn Katzen halten sich strikt an Vorschriften: Eine Zeitung oder ein Fernsehprogramm sind erst dann Katzenstreu, wenn sie auf dem Boden liegen. Wenn sie auf die Programmzeitschrift gepinkelt hatte, war der Teppich darunter das nächste Problem. Denn Regel Nummer drei besagt, daß alles, was einmal bepinkelt wurde, auch künftig bepinkelt werden darf.

Was auch mit zwei Sofas und vielen Kissen geschah. Schließlich kaufte ich mir Sessel aus Chrom und Leder, deren Sitzfläche so schräg war, daß die Katzen hinunterrutschten, wenn sie sich darauf zu hocken versuchten; allerdings saß auch ich nie auf ihnen. Ich bin dankbar, daß mein Bett auch ihr Bett war und tabu blieb.

Ich habe Saar oft verwünscht. Es wurde sehr lästig, jedesmal wenn ich übers Wochenende fortwollte, den Teppich zusammenzurollen, eine Plastikfolie übers Sofa zu legen und die Kissen so zu drapieren, daß sie für ihr kleines Hinterteil nicht genug horizontale Fläche boten. Beim Nachhausekommen merkte ich dann, daß die Türmatte es hatte ausbaden müssen. Ich war auch keineswegs entzückt, als sie sich an einem noch nicht kopierten Manuskript verging, ebenso wie an einem sündhaft teuren Buch, das ich mir in der Bibliothek geliehen hatte und jetzt ersetzen mußte. Es hieß *Men in Transition* und kostete fast hundertfünfzig Gulden. Einmal habe ich sogar daran gedacht, sie fortzugeben. Da hatte sie sich in meinen Kleiderschrank gezwängt, um meine Pumps vollzupinkeln, und dann die reizende Entdeckung gemacht, daß es in meinem Haus jede Menge schöner Kratzbretter gab. Sie hatte ihre Krallen in die erste Auflage von *Herinneringen* von Aletta Jacobs geschlagen. Aber als habe sie begriffen, daß sie nun wirklich zu weit gegangen war, hielt sie sich danach wochenlang zurück. Und schließlich löste sie das Problem selbst, indem sie starb.

Pu ist eine völlig andere Katze. Zufrieden produziert sie jeden Tag *eine* Wurst, und wenn ihr Klo einmal pro Woche saubergemacht wird, ist alles in Ordnung. Braves Tier. Langweiliges Tier. Ich vermisse Saar.

So wie viele Menschen heutzutage nicht nur selbst gezeugte und zur Welt gebrachte Kinder haben, sondern durch Liebschaften und zweite, dritte, vierte Partner auch zu fremden Kindern kommen, spielen auch in meinem Leben nicht nur die mit mir zusammenlebenden Katzen eine Rolle. Der Mann, den ich gewöhnlich als meinen Verlobten bezeichne – als was sonst? Meinen Mann? Wir sind nicht verheiratet, und das klingt so besitzergreifend. Meinen Freund? Ich habe mehrere Freunde, aber nur einen Verlobten. Meinen Liebhaber? Als ob wir nichts anderes täten. Meinen Partner? Klingt, als müßten wir schleunigst in eine Beziehungstherapie. Meinen Liebsten? Na schön, Liebster geht auch – mein Liebster also hat drei. Katzen. Zwei Söhne. Alle drei sind einfarbig grau, so daß sie von weitem wie eine kleine Herde aussehen, vor allem wenn sie gegen Essenszeit alle drei in der Küche herumhängen. Aber aus der Nähe sind sie ganz leicht zu unterscheiden. Die älteste meiner Stiefkatzen, unverkennbar ein Kater, der eigentlich «Halfred the troublesome Poet vom grünen Ritter» heißt, aber Grijs genannt wird, ähnelt Clint Eastwood, finden sein Mensch und ich. Ein *loner*. Ein Macho. Grijs

ist der Sproß einer Bastardlinie irgendeines Adels-
geschlechts, Russisch-Blau, aber seine Mutter hieß
schlicht und einfach Jet. Fast alle grauen Katzen, die
man in Amsterdam sieht, sind meiner Ansicht nach mit
ihm verwandt, und damit auch mit meinem Liebsten.
Aber das wußte ich noch nicht, als ich Grijs kennenlernte.

Ich war damals noch mit einer Dame liiert und kam
häufig ins Frauenhaus. Bei schönem Wetter saßen wir
oft nackt im Innenhof, von den Nachbarn beäugt. Mir
machte das nie viel aus, dieses Geglotze, schließlich waren wir in der Mehrheit, und wenn es mich zu sehr
störte, nahm ich einfach noch meine Kontaktlinsen heraus. Einer derjenigen, der uns kaum aus den Augen ließ,
war Grijs. Als kleines Wollknäuel saß er oben an der
Treppe des Nachbarhauses und schaute. Ein Haus weiter
wohnte mein Zukünftiger, aber ich wußte noch nicht,
daß er mein Zukünftiger war, und er gehörte auch nicht
zu den Nachbarn, die uns begafften. Grijs kam nie näher.
Er schaute nur, mit einem Blick, den ich schon kannte:
In einer der Kommunen, in der ich eine Zeitlang gewohnt hatte, saßen alle Katzen der Nachbarschaft, auch
unsere, auf dem Zaun, wenn die Nachbarin im Garten
nebenan die Hühner aus dem Stall ließ, damit sie draußen ein Stündchen scharren konnten. So wie Menschen
fern-sehen, fast bewegungslos, den Blick starr in eine
Richtung gewandt, vertieften sich die Katzen ins Huhn-
sehen. Aber sie unternahmen nie etwas, genausowenig
wie Grijs je etwas anderes tat als zu schauen. Ich lernte
ihn näher kennen, als sich herausstellte, daß sein
Mensch und ich für dieselbe Monatszeitschrift arbeiteten und wir manchmal bei ihm zu Hause unsere Redaktionssitzung abhielten. Da lernte ich auch die zweite

Katze kennen, Vigdis, genannt Pummel. Ein Weibchen. Eine Karthäuserkatze, und damit puscheliger als eine Russisch-Blaue. Während Grijs ein schweres Tier ist, mit Bleipfoten und Krallen aus rostfreiem Stahl, ist sie erstaunlich leicht. *Fluffy*. Bestandteile: vierzig Prozent Kükenflaum und der Rest Polyester. Nach menschlichen Maßstäben fiele sie in die Kategorie doofe Blondine, nicht mehr ganz jung, wohnhaft in Los Angeles und ihre Zeit am Telefon verbringend.

Wie es aussah, führte sie keine schlechte Ehe mit Grijs, auch wenn es ab und zu Hiebe setzte. Dann flüchtete Vigdis vor Grijs unters Bett, so eine Art Rühr-mich-nicht-an für Katzen, denn unter dem Bett war es zu niedrig für Grijs, um richtig ausholen zu können. Es ging auch mehr ums Prinzip, mehr darum, wer der Herr im Hause war, als daß sie wirklich eine Tracht Prügel verdient hätte. Doch meistens waren sie friedlich. Ich erinnere mich aus der Anfangszeit vor allem daran, wie sie Flanke an Flanke, die Schwänze fast ineinander verschlungen, zu ihren Freßnäpfen gingen, wenn ihr Mensch in die Nähe der Küche kam und die Hoffnung stieg. Dieses Bild erinnert mich an ein anderes, das sich aus irgendeinem Grund nicht aus meinem Gedächtnis löschen läßt, und zwar das zweier Autos, die in einem der strengsten Winter, die wir je hatten, aufeinander zufuhren. Es war auf dem Museumplein, ohnehin eine unwegsame Fläche, doch jetzt hatte sich die Straße in eine Eisbahn verwandelt, und dicht vor mir – ich fuhr mit dem Rad und hatte Mühe, das Gleichgewicht zu halten – rutschten zwei Autos langsam aber unaufhaltsam zusammen. Als Zusammen*stoß* konnte man es nicht bezeichnen, da schepperte kein Blech, nein, lautlos schmiegten sie sich aneinander, fuhren ein Stück gemeinsam, um kurz darauf wieder jeder seines Wegs zu gehen. Eine kurze, wortlose Vereinigung. So etwas passierte bei Grijs und Vigdis auch oft.

Dabei, wie ich meinen Liebsten kennenlernte, hatte Grijs seine Pfote im Spiel. Während einer Redaktionssitzung dieser Monatszeitschrift hatte ich plötzlich eine unbezähmbare Sehnsucht nach Katze, wie sie einen Katzenfreund eben von Zeit zu Zeit überkommen kann, und ich versuchte, Grijs auf meinen Schoß zu locken. Als er mich freundlich, aber bestimmt abwies, tat ich, was man nie tun darf, ich nahm ihn hoch. Grijs, ganz widerspenstiges Muskelpaket unter dem weichen Fell, nahm mit einem Sprung Reißaus, wobei er einen scheußlichen Kratzer auf meinem Knie hinterließ. Ich fluchte. Worauf Grijs' Mensch, anstatt seiner Katze einen strafenden Blick zuzuwerfen, *mich* böse ansah. Damit waren die Verhältnisse geklärt, die Prioritäten gesetzt. Erst die Kinder, dann die Katzen, und zum Schluß erst die Liebsten. Das sprach für ihn, denn so ähnlich hielt ich es auch.

Seither hatte ich Gelegenheit, Grijs ganz genau kennenzulernen. Er hatte nichts dagegen, wenn ich im Bett seines Menschen mitschlief. Viel Kontakt hatte ich anfangs nicht zu ihm, denn er war, als Mann, außer Haus tätig. Es war in erster Linie Vigdis, die Kontakt zu mir suchte. Wie sie das im übrigen bei jedem tat, denn wählerisch war sie nicht, sondern recht promiskuös in ihrer Zuneigung. Das machte die Beziehung für meinen Geschmack auch etwas unbefriedigend. Zu mühelos. Im Grunde war sie ein Flittchen, das bei jedem Menschen, der sie nur anschaute, schon erwartungsvoll zu schnurren begann. Grijs war nicht so leicht zu gewinnen. Meist war er auf dem Dach damit beschäftigt, den Feind auf

Abstand zu halten. Breitbeinig, fast wie ein Westernheld, kam er nach getaner Arbeit herunter, um einen Happen zu essen.

Aber Grijs wurde älter, ein bißchen steifer und langsamer. Ich war bei seiner Entmachtung dabei, und es spricht für seinen Charakter, daß er es mir verziehen hat, Zeugin seines endgültigen Abgangs als Dachheld gewesen zu sein. Viele Menschenmänner hätten das nicht getan. Die entscheidende Niederlage erfolgte bei einer letzten Prügelei. Als er nach Hause kam, war klar, daß es einen schweren Kampf gegeben und daß er ihn verloren hatte. Sein Ohr wies einen Riß auf, und die Nase blutete. Schniefend und ganz erschüttert setzte er sich aufs Sofa, mit dem Rücken zu uns. Alle Anwesenden wußten, daß Streicheln und sonstige Trostbekundungen in dieser Situation fehl am Platz gewesen wären. Damit mußte er allein fertig werden. Als er nach etwa drei Tagen vom Sofa herunterkam, war er geläutert. Sein Macho-Image hatte er abgelegt. Er ging nur noch selten aufs Dach, und wenn, dann am liebsten in Begleitung eines Menschen, so daß er auf der Dachterrasse gefahrlos unter dessen Stuhl sitzen konnte. Er kämpfte nicht mehr. Er hatte seinen letzten Western gespielt, und er wußte es. Von da an veränderte sich sein Wesen. Er blieb ein *loner*, der aber auch etwas von einem freundlichen alten Herrn an sich hatte. Vigdis hatte ihr sonniges Wesen inzwischen gegen chronische Verdrießlichkeit eingetauscht, denn eine dritte Katze war aufgetaucht, Celes, kurzhaarig, ebenfalls grau, ein kesses Ding, das alle Aufmerksamkeit auf sich zog, die früher Vigdis gegolten hatte. Eine Rivalin mit allen Vorzügen der Jugend. Grijs, inzwischen in die Jahre gekommen, mischte sich nicht in die Intrigen ein, die die Damen untereinander ausfochten. Er jagte Vigdis auch nicht mehr unters Bett. Er wurde dünner, steifer und wettergegerbter, Typ pensionierter Oberst. Sein Schwanz wurde dünn, sein Fell räudig, und von seinen ohnehin tiefliegenden Augen war eines manchmal halb geschlossen, was ihm einen etwas dämlichen Ausdruck verlieh. Ganz anders als Vigdis' Kulleraugen, aus denen sie früher naiv, jetzt vergrätzt in die Welt sah.

Eines Tages knickte Grijs in den Hinterbeinen ein. Sein Mensch ging mit ihm zum Doktor, aber viel war nicht mehr zu machen. Vielleicht könne eine Vitaminkur etwas helfen, aber irgendwann, in nicht allzu ferner Zukunft, würden die Lähmungserscheinungen zunehmen, und wenn erst die Nieren erfaßt wären, würde es schnell vorbei sein.

Aber Grijs ist ein Beispiel dafür, daß wir mit Sterbehilfe nicht zu schnell bei der Hand sein sollten, denn trotz seiner Gebrechen ist er glücklich. Ein glücklicher alter Mann, der sich auf der Heizung die alten Knochen wärmt, wenn kein Mensch in der Nähe ist, auf dem er es sich bequem machen könnte, und der kopfschüttelnd aufsteht, um es noch mal zu versuchen, wenn er wieder heruntergefallen ist. Während er früher energiegeladen auf Tische, Schränke und die Spüle sprang, ist ihm jetzt die Überlegung anzusehen, ob sich die Mühe wohl lohnt, und wenn er doch auf den Tisch will, dann über viele Stufen. Ein bedächtiger alter Mann. Als er einmal ausprobierte, ob er noch mit einem Sprung auf die Spüle käme, und es nicht schaffte, sah ich weg. Es war zu schmerzlich mitanzusehen, wie er, an den Vorderpfoten hängend, versuchte, am glatten Granit Halt zu finden, wie er mit den Hinterbeinen gegen den Unterschrank trat und doch noch hinaufzukommen versuchte. Ich hörte, wie seine Krallen über das Holz kratzten, als er endgültig abrutschte. Auch Grijs hat seine Würde, und die müssen wir ihm lassen. Wir ignorieren folglich das dumpfe Gepolter auf dem Flur, wenn er wieder mal die Treppe hinuntergefallen ist. Jeder andere würde grantig und griesgrämig werden, nicht aber Grijs. Anhänglicher denn je schmiegt er sich an mich, wenn ich auf dem Sofa sitze, und ganz in der Tiefe – früher gab es das nie bei ihm – setzt dieses zufriedene Vibrieren in seinem alten Körper ein, dieses gedämpfte Grollen, ein bißchen eingerostet, aber überzeugend. Grijs schnurrt. Grijs ist glücklich. Grijs macht es nicht einmal etwas aus, daß man, seit auch der zweite Sohn meines Liebsten aus dem Haus ist, nachts nur noch in einem Bett einen Menschen findet, an den man sich kuscheln kann, und daß auch Celes und Vigdis unser Lager teilen. Das ist jetzt ziemlich voll. Drei Katzen und zwei Menschen, das sind sechzehn Füße in einem Bett und ziemlich viel Gewühl und Getrampel, bevor jeder bequem liegt. Wenn alles schläft, ist es eine sanft schnarchende, atmende Masse, eine Ruhe, die nur dann und wann unterbrochen wird, wenn jemand sich umdrehen will und Körperteile sich träge bewegen. Von den drei haarigen Gesichtern, die mich morgens beim Aufwachen anblicken – hoffnungsvoll, geht's jetzt los, beginnt der Tag? –, ist mir Grijs' mottenzerfressener Kopf inzwischen der liebste. Er blinzelt mir zu. Er fängt den neuen Tag, einen seiner abgezählten Tage, zufrieden an.

Einmal, als ich mich nachts umdrehte, fiel er aus dem Bett. Nun können Katzen normalerweise nicht aus dem Bett fallen, denn auf halbem Weg wird aus dem Fall ein Sprung. Aber dafür ist Grijs nicht mehr gelenkig genug. Es ist ein gräßliches Geräusch, so ein dumpfer Aufprall.

Seitdem lege ich beim Umdrehen einen Arm um ihn, bis er wieder seinen Platz gefunden hat.

Das gefällt ihm, dem alten Herrn, und vertrauensvoll legt er sich jedesmal an meine Bettseite. Eine unverhoffte neue Liebe auf seine und meine alten Tage.

MEIN SOHN ist seit kurzem aus dem Haus. Das wurde auch langsam Zeit, denn mittlerweile war er sechsundzwanzig, zehn Jahre älter, als ich war, als ich die Tür meines Elternhauses hinter mir zuknallte.

Viele meiner Bekannten sind in Sozialberufen tätig, und wenn ich das erzähle, bekommen sie gleich so einen leicht psychotherapeutischen Blick; jeder in diesen Kreisen hat mal ein bißchen Freud gelesen oder zumindest von ihm gehört, und in den Textblasen über ihren Köpfen sind dann Gedanken zu lesen wie: Nie eine männliche Identifikationsfigur gehabt, kein Wunder, daß der sich nicht von der Mutter lösen kann. Mit Jungen, was heißt Jungen, *Männern*, die so lange bei ihrer Mutter wohnen, ist etwas nicht in Ordnung. Nun bin ich da nicht die einzige, denn es ist ein Problem unserer Zeit, daß Kinder nicht aus dem Haus wollen. Eine Freundin von mir mußte selbst umziehen, um ihre Söhne loszuwerden. Aber Problem ist eigentlich nicht das richtige Wort. Ich habe schon sehr früh aufgehört, meinen Sohn zu bekochen und seine Wäsche zu waschen (die therapeutischen Blicke besagen jetzt nicht mehr Überfürsorglichkeit, sondern Verwahrlosung, aha!), er hatte die

Etage über mir mit eigener Eingangstür und eigener Küche, lebte mal mit einer Frau dort und mal ohne, kümmerte sich immer um die Katzen, wenn ich nicht da war, kam ab und zu Geld leihen oder Kaffee trinken, und ansonsten existierte er in meinem Leben hauptsächlich als freundliches Gepolter über meinem Kopf. Aber das gehört nicht hierher, das ist für ein anderes Buch bestimmt. Eines Tages verkündete er, er habe über eine Baugenossenschaft eine kleine Wohnung bekommen. Das war schneller gegangen, als er erwartet hatte, und dem weitverbreiteten Rassismus zu verdanken, da viele Alteingesessene in Vierteln, in denen viele Türken leben, nicht mehr in einer Parterrewohnung wohnen wollen. Weil mein Sohn nicht einsieht, weshalb er vor Türken mehr Angst haben sollte als vor den übrigen Jordaan- oder Kinkerbuurtbewohnern, bekam er den Zuschlag. Aber auch darum geht es hier nicht. Es geht einfach darum, daß er mir erzählte, er würde ausziehen. Darüber mußten wir beide kichern, denn unser Standardwitz war, daß er auch mit mehr als vierzig Jahren noch immer herunterkommen würde, um bei seiner alten Mutter Geld zu leihen. Daraus würde jetzt also doch nichts mehr werden. Wir sprachen auch über die Katze. Das schien uns beiden das einzige Problem zu sein. Er war aber bereit, Pu füttern zu kommen, wenn ich für ein paar Tage fort wäre, und wenn es länger als eine Woche dauerte, die Katze zu sich zu nehmen, vorausgesetzt, ich gäbe ihm mein Ehrenwort, daß ich sie dann wieder zu mir nähme, denn ungeachtet der Tatsache, daß er Pu mehr liebt als ich, scheute er die Verantwortung. Aus demselben Grund bin ich auch noch nicht Großmutter. Er zog aus und saß am selben Abend schon wieder bei mir in der Küche, um seinen Auszug bei einer Flasche Clairette de Die zu feiern.

Als er fort war, tat ich, was ich schon zehn Jahre lang vorgehabt hatte. Ich bestellte einen Bauunternehmer, um eine Treppe zwischen meinem Schlafzimmer und dem einbauen zu lassen, was das erste richtige Arbeitszimmer meines Lebens werden sollte. Keiner weiß, daß ich meine ersten zwanzig Bücher am Küchentisch getippt habe. (Kneipentische, Ferienhäuser und die Häuser von Freundinnen nicht mitgerechnet.) Jetzt wurde es ernst.

Ein Loch im Himmel: plötzlich gab es eine Verbindung zwischen der abgeschlossenen Welt, die fünfzehn Jahre lang meine Wohnung gewesen war, und dem Unbekannten darüber. Ich konnte das gerade noch verkraften, obwohl auch ich bestimmt eine Stunde lang oben an der Treppe gesessen und abwechselnd hinunter in den alten Raum und dann um mich, in den neuen, geschaut habe. Wer damit nicht fertig wurde, war Pu. Nun ist sie unten geboren und kaum je außer Haus gewesen, mit Ausnahme von Arztbesuchen, dem halbherzigen Ausreißversuch und ein paar zögernden Schritten über die Schwelle, wenn im Sommer die Haustür offensteht, wobei sie aber beim erstbesten Anlaß, vor Aufregung hyperventilierend, wieder ins Haus rennt. Sie hält ihre Welt gern überschaubar. Jetzt war also auf einmal ein Loch im Himmel, und darüber war noch eine Welt.

Ich saß oben. Ich tippte, und das Geräusch kennt sie. Normalerweise setzt sie sich dann in der Nähe hin und quengelt. Jetzt saß sie unten an der Treppe und rief. Dann komm doch, rief ich zurück, aber sie blieb unten sitzen und maunzte. Ich trug sie nach oben. Dort angekommen, sah sie sich erst einmal erschrocken um und begann dann, wie es sich gehört, alles zu beschnuppern.

Damit hatte sie eine Weile zu tun. Ich sah, wie sie lange zögerte, ob es wohl sicher genug sei, auf die Fensterbank des offenen Fensters zu springen. Unten kann sie das nicht, denn nach einigen Erfahrungen mit Männern, die in mein Haus einzudringen versuchten – offensichtlich nicht, um zu stehlen, denn sie konnten sehen, daß ich zu Hause war –, habe ich in jedes Fenster Sicherheitsglas einsetzen lassen, und kein Fenster läßt sich mehr öffnen. O Gott, nicht schon wieder, hörte ich sie denken, als sie endlich auf der Fensterbank saß und ihr ein laues Lüftchen ins Gesicht blies. Diese unsichtbare Kraft, unten gab es die auch schon, wenn die Tür offenstand, und jetzt auch noch hier oben!

Schließlich hatte sie das neue Territorium erkundet und wollte wieder nach unten. Vielleicht zum Trinken, vielleicht zum Pinkeln, jedenfalls mußte sie nach unten. Und traute sich nicht. Sie kannte nur eine Treppe, die zwischen dem Entresol, wo ich schlafe, und dem Erdgeschoß, und obwohl sie die morgens holterdiepolter hinunterrennt, ohne zu stolpern – eine ganz schöne Leistung für einen Vierbeiner, denn wenn ich gerade aufgewacht bin, finde ich das mit zwei Beinen schon ziemlich schwierig –, half diese Erfahrung ihr jetzt nicht. Das hier war eine andere Treppe, die schaffte sie nicht. Sie setzte die rechte Pfote auf die oberste Stufe, zog sie wieder zurück, dann die linke, das klappte auch nicht, und sah mich hilflos an. Ich bekam eine Vision, wie ich sie die nächsten zehn Jahre die Treppe hinauf- und hinuntertragen müßte, und das, wo mein Kind gerade aus dem Haus war, und blieb stur. Ging selber nach unten. Das Gejammer von oben wurde lauter. Grausam bohrte ich den Dosenöffner in eine Whiskas-Dose, für Menschen ein kaum wahrnehmbares Geräusch, aber Pu hörte es durch alle Wände. Das Gejammer schwoll an. Dumme Zicke, rief ich, dann komm doch.

Sie kam. Mit gesträubtem Fell und verstörtem Blick. In einer tiefen Krise. Immer wieder mußte sie zu diesem Loch im Himmel zurückschauen, durch das sie zuvor verschwunden war. *Alice hinter den Spiegeln*, ängstlich, als könnte es sie verschlucken und nicht mehr hergeben, und sie mußte bestimmt eine Stunde lang auf mir sitzen, von ihren Gefühlen ganz überwältigt, bis sie sich halbwegs wieder gefangen hatte.

Das erinnerte mich an eine Diskussion, die ich einmal mit Maaike M. und Annie van den O. hatte. Es war wohl vor allem Maaike M., die das Thema anschnitt, aber da wir bereits zwei Flaschen geleert hatten, kann ich das Gespräch nicht mehr wörtlich wiedergeben. Es ging um Identität. Woher wissen wir, wer wir sind, das heißt, woher wissen wir, daß die Instanz, die «Ich» sagt, dieselbe ist, die gestern «Ich» sagte? Ich (ich) habe oft das Gefühl, mehrere Identitäten zu besitzen, aber solange ich sie einigermaßen voneinander trennen und trotzdem noch unter einen Hut bringen kann, bin ich noch nicht reif fürs Irrenhaus, denke ich. So gibt es eine Schriftstellerin, die so heißt wie ich, und manchmal muß ich sie auftreten lassen. Kein Problem. Mit der Zeit hat man den Dreh raus, und ab und zu setze ich meinen Körper in den Zug nach Hoorn oder nach Osnabrück und spiele Autor auf Lesereise. Im Falle einer drohenden Identitätskrise zähle ich mein Geld. Erst wenn alles zu schnell geht und ich zuviel weg bin und sich daheim halb ausgepackte Koffer und Taschen zu stapeln beginnen, besteht die Gefahr, daß ich durcheinanderkomme; wie damals,

als ich nach einer Lesung in West-Terschelling fürs Wochenende mit meinem Liebsten in einer Ferienwohnung in Baaiduinen gelandet war, nachdem ich eine mehrwöchige Lesereise, unter anderem mit den Stationen Koblenz, München, Ingolstadt, Groningen und Barcelona hinter mir hatte. Für einen Moment hatte ich keine Ahnung, wo ich mich befand, als ich mitten in der Nacht mal mußte. Es war stockfinster, und ich wußte absolut nicht mehr, wo die Toilette sein könnte. Gab es da eine Treppe nach unten, und falls ja, wo? Tastend fand ich sie, und nach und nach kehrten die Erinnerungen an den vorigen Abend wieder, die Frauenkneipe, meine Beinahe-Schwiegermutter, die auch noch gekommen war, der Käsekorb, den ich zum Dank bekommen hatte, und ich dachte daran, wie sehr das Identitätsgefühl von einer identifizierbaren Umgebung abhängen kann. Ich weiß, wer ich bin, weil ich, wenn ich die Augen aufschlage, dieselben Bücherschränke sehe wie gestern, und weil dieselbe Katze in meinem Bett liegt. Offenbar bin ich diejenige, die hier wohnt, denn ich greife, ohne nachzudenken, nach dem summenden Wecker, und wie von selbst geht mein Körper hinunter, schaltet die Kaffeemaschine ein, läßt den Wasserhahn in dünnem Strahl für die Katze laufen und legt ein Ei in den Topf. Ich weiß, wer ich bin, weil derjenige, der neben mir schläft, die Augen aufschlägt und keineswegs überrascht ist, mich da zu sehen. Diejenige, die diese Erinnerungen an Baaiduinen und Barcelona, Thessaloniki und Hemelum hat, muß ein und dieselbe Person sein. Was wäre ich ohne meine Erinnerungen? Wie weiß einer mit einem Gedächtnis, das nicht weiter zurückreicht als fünf Minuten (es kam im Fernsehen, ich habe es nicht gesehen, aber es regt meine Phantasie sehr an), wie weiß so jemand, wer er ist? Ich glaubte, Katzen litten nicht unter solch existentiellen Fragen. Aber an Pu konnte ich sehen, daß dieses Problem auch sie gepackt hatte. Zumindest für einen Moment.

Grijs kann Tango tanzen. Das geht so. Grijs sitzt, wenn wir essen, auf dem Tisch. Die anderen Katzen dürfen das nicht, aber Grijs ist alt und steht über dem Gesetz. Grijs setzt sich, die Augen auf meinen Teller geheftet, neben mich, anfangs ganz ruhig, als wolle er nur mal schauen. Richtig hungrig ist er nicht mehr, denn er hat gerade sein Fressen bekommen, und das ist unter anderem daran zu erkennen, daß er sich für eine Brechbohne genauso interessiert wie für ein Stück Fleisch. Dann streckt er langsam, langsam die rechte Pfote nach meinem Teller aus, um das am nächsten liegende Stück wegzuangeln. Das kann besagte Brechbohne sein oder ein Stück Tomate, das er vor sich hinlegt und dann lange beschnuppert und beäugt. Aber ich mag es nicht, wenn er meinen ganzen Teller leer angelt. Wenn seine Pfote sich meinem Teller nähert, sage ich also: Nein, Grijs. Dann zieht er die Pfote zurück und versucht es mit der anderen. Nein, Grijs, sage ich wieder, und er denkt, das Verbot gilt jetzt für diese Pfote. Er hat vergessen, daß ich es auch bei der anderen aussprach. Er fängt wieder an.

Linke Pfote, rechte Pfote. Das Tempo steigert sich all-mählich, meine Schreie werden kürzer, und bevor wir gemeinsam zum Höhepunkt kommen, haben wir einen rituellen Tanz aufgeführt, den ich Tango à Grijs nenne. Linke Pfote, uh!, rechte Pfote, ah! Vielleicht wäre dieser Tanz angesichts der eintönigen Wiederholungen ein und derselben Figur passender als Foxtrott oder Quick-step zu bezeichnen, aber es ist in erster Linie Grijs' Ge-sicht, das an Tango erinnert.

Ansonsten können die Katzen in meinem Leben wenig Kunststücke, und in diesem Fall muß man sich wohl auch fragen, wer wem ein Kunststück beigebracht hat, ich Grijs oder Grijs mir. Ruben, der davon überzeugt war, daß man Katzen durchaus etwas beibringen könne, hat es einmal bei Vigdis versucht. Das Kunststück bestand darin, daß sie einen Tischtennisball von einem Tipp-Ex-Fläschchen schubsen sollte, und dann bekam sie einen Leckerbissen. Nun, es klappte bestens – sie wollte gern einen Leckerbissen, und noch einen und noch ganz viele, aber er sollte ja nicht denken, daß sie deswegen nach seiner Pfeife tanzen würde. Stunde um Stunde saßen sie so auf dem Boden, Vigdis sah sich erst einmal alles in Ruhe an, den Ball auf der Flasche, sie hatte schließlich Zeit, und wenn sie dann Lust dazu hatte, schubste sie ihn runter. Leckerbissen. Dann setzte sie sich wieder. Manch-mal schubste sie den Ball sofort ein zweites Mal runter, aber meist hockte sie ruhig da, die runden Augen auf Ruben gerichtet, der ihr gut zuredete. Blink, blink, gin-gen ihre Augen, und dann sah man ihr plötzlich an, ach, dieser Ball, den krieg ich bestimmt runter, und schon flog er weg. Siehst du, sagte Ruben. Aber die Frage war natür-lich, wer hier eigentlich wen dressierte. Es war klar, daß Ruben sich dabei mehr anstrengen mußte.

In Frankreich habe ich einmal auf einem Dorfplatz einen Gaukler gesehen, der mit ein paar Tieren auftrat, einem Esel, der nur dastand, einer Ziege, einem Hund und zwei Katzen, die, jede auf ihrer kleinen Plattform, unbeweglich auf einem Pfosten saßen. Nicht freiwillig, wie sich bei näherer Betrachtung herausstellte, denn sie waren mit einer ganz kurzen Leine angebunden. Sie sahen uns an mit einer Mischung aus dumpfer Resignation und arroganter Gleichgültigkeit. Meine Krisentiger, nannte der Mann sie, als sie mit ihrer Nummer an der Reihe waren. Lustlos bequemten sie sich über ein Seil und durch einen Reifen und bekamen dann auf der anderen Seite eine Belohnung. Im Gegensatz zu den Kunststücken des Hundes, der sich dabei total verausgabte, sprach bei ihnen keinerlei Überzeugung daraus. Sie baten nicht um Beachtung, sie baten nicht um Anerkennung, es war ihnen egal, wie wir sie fanden. So sind Katzen meistens. Mit Ausnahme von Pu.

Pu ist eine Ein-Kunststück-Katze. Armin und ich hatten überhaupt nicht vor, ihr etwas beizubringen, denn dafür hält man sich schließlich keine Katze. Aber wir hatten natürlich Rudy Kousbroeks *De aaibaarheidsfactor* gelesen – zu deutsch etwa «Der Streichelbarkeitsfaktor» –, vor allem das Kapitel, in dem Kousbroek darlegt, daß Katzen sich nicht so sehr streicheln *lassen*, als vielmehr selbst streicheln, indem sie an einer Hand oder einem anderen Körperteil, notfalls einem Stuhlbein, vorbeistreichen.

Nun wollten wir mit unseren Katzen mal ausprobieren, wie weit das ging. Saar streichelte wirklich regelmäßig selbst, aber nur dann, wenn es ihr paßte. Wenn wir eine Hand über ihren Kopf hielten, schaute sie zwar, als wolle sie Anstalten machen, sich daran zu reiben, ließ es dann aber doch lieber sein. Es paßte ihr zufällig nie, wenn wir wollten. Pu dagegen war vollkommen begeistert von dieser neuen Möglichkeit, Aufmerksamkeit auf sich zu lenken, und wurde eine wahre Meisterin in dem, was wir nun *kousbroeken* nannten. Hielten wir die Hand tief, so strich sie mit ihrem Kopf dagegen, hielten wir sie höher, dann stellte sie sich auf die Hinterbeine und hielt die Hand mit den Vorderpfoten fest, bewegten wir die Hand weiter vor, dann machte sie auf den Hinterbeinen ein paar Schritte vorwärts. Wir können die Evolution noch beeinflussen und aus ihr die erste zweibeinige Katze machen, fanden Armin und ich, und wenn wir die Hand noch höher hielten, machte sie sogar einen Sprung. Damit hörten wir aber wieder auf, weil es uns zu viele Schrammen eintrug, da sie die Krallen ausfuhr, um sich, koste es was es wolle, dieser Hand zu bemächtigen und ihr ein Streicheln zu entlocken.

Seitdem können wir, wenn Besuch da ist, Pu ihre *Kousbroek*-Nummer vorführen lassen. Sie ist fast immer bereit dazu. Seit sich dieser Begriff im Familien- und Bekanntenkreis eingebürgert hat, stellt sich heraus, daß Katzen nicht die einzigen sind, die *kousbroeken*. Manche Menschen sind ebenfalls wahre Meister darin. Mein Verlobter zum Beispiel ist darin unübertroffen, er hat eine beneidenswerte Fähigkeit, anderen Menschen Komplimente zu entlocken, noch bevor sie sich darüber im klaren sind, daß sie möglicherweise bereit sein könnten, eines zu machen. Komme ich zu ihm, dann ruft er sofort: Hast du meinen Fußboden gesehen? Der Fußboden ist dann beispielsweise frisch gewachst und glänzt, aber bevor ich bestätigen kann, daß er tatsächlich tipptopp ist, muß ich schon mit auf die Dachterrasse, wo es allerhand Neues gibt. Zum Beispiel einen Blumenkasten mit Fleißigen Lieschen. Ich brauche nur zu nicken. Auch beim Essen brauche ich mir nicht viel einfallen zu lassen, noch bevor ich den ersten Bissen probiert habe, ruft er schon: Lecker, nicht?, und stellt am Ende fest, daß es ein schönes Essen war. Findet ihr nicht, ruft er strahlend, und natürlich sind wir ganz seiner Meinung.

Das kann mich richtig neidisch machen. Ich bin so erzogen, daß man erst abwartet, ob andere von allein auf die Idee kommen zu sagen, das Essen habe gut geschmeckt oder man sehe gut aus, und daß man allenfalls, aber dann so nonchalant wie möglich, mit subtilem Wimpernklimpern ein wenig nachhelfen darf.

Armin versteht es bestens, alles mögliche mit den Katzen zu veranstalten, bloß richtige Kunststücke waren es nie. Es war eher so, daß sie manchmal bereit waren, bis zu einem gewissen Grad bei seinen Kunststücken mitzuwirken, immer nur bis zu einer bestimmten Grenze, die ganz von der Würde der betreffenden Katze abhing. Katzen sind leicht beleidigt und ziehen sich hochmütig zurück, wenn man es ihnen gegenüber an Respekt fehlen läßt, und sie spielen auch nur mit, solange klar ist, daß sie das Sagen haben. Armin hat sich lange den Kopf zerbrochen, wie man eine Katze zum Stolpern bringen könnte, und sei es nur deswegen, damit sie mal wissen, was sie uns ständig antun. Ich breche mir im Durchschnitt einmal pro Woche fast das Genick auf der Treppe, wenn eines der Viecher genau vor meinen Füßen hinunterrennt und dabei unbedingt immer auf der Stufe sein muß, auf die ich gerade treten will. Pu bringt es auch immer wieder fertig, mir einen Schwanz oder eine

Pfote so vor die Füße zu legen, daß ich nicht anders kann, als darauf zu treten, aber das wußten wir ja schon, Pu steht nun mal auf S/M, und so ertönt in meinem Haus regelmäßig dieser besondere Schrei, den Alice Thomas Ellis als denunverkennbaren, unverwechselbaren Klagelaut der *trodden cat* bezeichnet hat.

Einem Vierbeiner kann man kein Bein stellen, befand Armin schließlich. So sehr er auch versuchte, den Katzen ein Bein wegzuziehen oder gar zwei, immer blieben ihnen noch genug, um nicht zu stolpern, und sie sahen ihn nur amüsiert und fragend zugleich an: Was soll das denn? Was machst du da? Dafür hat Armin aber entdeckt, daß man manche Katzen umwerfen kann. *Werfen* kann man sie natürlich jederzeit, denn wir sind größer und haben außer Füßen auch noch Hände, das ist keine Kunst. Ich werfe Pu regelmäßig, wenn ich fernsehen will und sie die ganze Zeit vor dem Bild herumtanzt, und dabei werden die Bögen, in denen sie durchs Zimmer fliegt, immer größer. Für dieses Ritual haben die Männer auch schon Namen. Ruben ruft: *Give your cat flying lessons*, wenn Pu an ihm vorbeisegelt (die jungen Leute von heute sind total amerikanisiert!), und Armin nennt es *A giant leap for catkind*.

*Um*werfen ist etwas anderes. Die Kunst dabei ist, sich den Umstand zunutze zu machen, daß die Katze Gegendruck gibt, wenn man sie hinter den Ohren krault oder an dieser besonderen Stelle im Nacken. Armin verstand es, das so zu steigern, bis sie sich mit ihrem ganzen Gewicht an ihn lehnten, und dann zog er blitzschnell die Hand weg: Plumps, da lag die Katz. Das erste Mal, als das bei Saar klappte, sperrte sie die eben noch genüßlich geschlossenen Augen riesengroß auf vor Erstaunen. Was jetzt? Wie hat er das bloß geschafft? Aber nach dem zweiten Mal blickte sie voll durch und ging gemessenen Schritts von dannen. Mit Pu konnte man so etwas endlos wiederholen, aber dann machte es eigentlich schon keinen Spaß mehr. Wenn sie zu stöhnen anfing, ja, ja, wirf mich noch mal um, dann wurde das Spielchen langweilig. Mit Grijs haben wir es ein einziges Mal gemacht. Es klappte sofort, denn sein Gleichgewichtssinn war damals schon nicht mehr so gut. Als er sich wieder aufgerappelt hatte, sah er uns an, milden Vorwurf im Blick. War das nun nötig, Jungs, mit mir altem Mann, war darin zu lesen.

Wir schämten uns.

IN AMSTERDAM gibt es eine Menge bekannter Animiermiezen, die in Schaufenstern sitzen, um Kunden anzulocken, aber abgesehen davon kenne ich fast keine Katzen, die arbeiten. Katzen, die sich ihr Futter selbst verdienen. Die Verlagskatze war eine. Im Frauenbuchverlag Sara (benannt nach meiner Saar, mangels anderer Ideen) hatten wir Mäuse, die sich allmählich auch über die dort gelagerten Bücher hermachten. Aus dem Tierheim wurde eine Katze geholt, die der Stellenanforderung entsprach, ein etwas wilder Kater. Seine Arbeitsplatzbeschreibung war einfach: Mäuse fangen.

Manche Katzen können es wirklich, bei anderen ist es eher der Rest eines Instinkts, mit dem sie selbst nicht klarkommen. So hörte ich einmal ein komisches Geräusch aus der Küche, eine Mischung aus Knurren und Schreien, ein Geräusch, das ich noch nie gehört hatte, das aber nach einigen Sekunden des Nachdenkens nur aus der Katze kommen konnte. Ich glaube, es war Miep. Sie war noch klein. Sie saß in der Küche, die Augen vor Panik geweitet, alle Haare gesträubt, mit einer Maus im Maul. Als ich ihr die Maus wegnahm, die zwar blutete, aber noch lebte und sofort das Weite suchte, sah sie mich keineswegs böse an, wie eine richtige Katze das hätte tun müssen – die hätte mir nicht erlaubt, ihr die Beute wegzunehmen –, sondern eher mit einem Ausdruck, Gott sei Dank, die wären wir los. Worauf sich ihr Fell wieder glättete und sie sich die Pfoten leckte. Ein paar Tage später hörte ich das gleiche Angstgeschrei. Wenn das bloß keine Gewohnheit wird, dachte ich noch, während ich Miep zu Hilfe eilte. Da saß sie – die gleichen Panikaugen, Fell punkig gesträubt – mit einem Mohrenkopf im Maul, den sie in der Konditorschachtel auf der Spüle gefangen hatte.

Ob der Verlagskater die Verlagsmäuse auch fing, weiß ich nicht. Zumindest wurden sie, entsprechend der Arbeitsplatzbeschreibung, verjagt. Das Problem war, daß er seine Aufgaben umfassender verstand und auch eine Mitarbeiterin zu verjagen drohte. Diese, nennen wir sie R., hatte schon vorher verkündet, daß sie Angst vor Katzen habe. Das sagen viele, wird sich schon geben, glaubten wir zunächst im Verlagskollektiv, in dem über alles demokratisch abgestimmt wurde. Die Mehrheit war für eine Katze, also kam eine, während R.s Urlaub. Nun war ihre Phobie, wie ich feststellen mußte, nicht ganz unbegründet, denn immer ging es ihr an den Kragen. Auch meine Katzen, die sonst nie jemandem lästig fielen, hatten es auf sie abgesehen. Ich erinnere mich noch, wie Saar aus dem fünften Stockwerk des Regals genau vor ihrer Nase auf den Tisch sprang, auf das Manuskript, an dem wir gerade arbeiteten. Ich habe noch nie jemanden so weiß werden sehen. Einmal saßen wir, mit demselben Manuskript, glaube ich, in einem Fischrestaurant. Wir hatten beide Forellen bestellt, die, als sie kamen, noch einen Moment warten mußten. Gerade wollte R., ohne richtig hinzuschauen, ihren Teller zu sich heranziehen, als sie neben sich ein Knurren hörte und genau in das drohende Gesicht eines Katers blickte, der sich gerade über ihren Fisch hermachte. Herzstillstand, beinahe jedenfalls. Als ob sie es wüßten.

Die Verlagskatze hatte die Angewohnheit angenommen, sich um die Mittagszeit in der Küche auf die Lauer zu legen. Öffnete R. die Kühlschranktür, um Fleisch und Wurst für ihre Lunchbrote herauszuholen, dann witschte der Kater in den Kühlschrank und machte sich in aller Ruhe über Roastbeef und Frikandeau her. R. konnte dann nur noch um Hilfe kreischen, holt das Vieh raus, denn um nichts in der Welt hätte sie die Hand in den Kühlschrank gesteckt, solange er darin war. Bei keiner anderen Mitarbeiterin des Kollektivs hätte er das getan. Zum Schluß sahen wir R., die auch ihren Schreibtisch schon so postiert hatte, daß sie das Tier im Auge behalten konnte, nur noch bleich und mit dem Rücken zur Wand durchs Haus schleichen, als wäre sie in einem schlechten Spionagefilm gelandet. Viel arbeiten tat sie nicht mehr, und sie weigerte sich auch, im Verlag zu sein, wenn sonst niemand da war. Der Kater wurde entlassen.

Meine Katzen haben eher etwas von *kept women* an sich. Sie leisten Gesellschaft. Im Prinzip sind sie die perfekte Gesellschaft für Schriftsteller, weil sie, wie Josepha Mendels es ausdrückt, Stille verbreiten. Saar tat das wirklich und war damit die ideale Gefährtin. Pu habe ich, mit Josepha Mendels in der Hand, zu erklären versucht, daß es ihre Aufgabe in diesem Leben sei, Stille zu verbreiten, damit ich auch künftig ihr Futter verdienen könne, aber Pu hat einen Ameisenhaufen in ihrem Kopf oder vielleicht Fadennudeln, auf jeden Fall kein Hirn, das heißt, sie kapiert nichts. Sobald ich an der Schreibmaschine sitze, maunzt sie um Aufmerksamkeit.

Wenn ich könnte, würde ich mir eine Aufgabe für sie ausdenken. Eine kleine, überschaubare Arbeit, nichts was ihren Tagesablauf ernsthaft stören würde, denn wie das kommt, weiß ich nicht, aber wenn man Katzen beobachtet, merkt man, daß sie sehr beschäftigt sind und das zu festen Zeiten. So müssen sie von Zeit zu Zeit an der Tür sitzen. Manchmal saßen sie beide dort, Nasen zur Tür gewandt, als würden sie auf den Bus warten, oder warteten sie auf mich, Armin oder einen anderen Dosenöffner? Sie taten das auch, wenn ich zu Hause war, so daß ich allmählich das Gefühl bekam, ich selbst könnte jeden Moment in der Tür auftauchen, und mich zu fragen begann, ob ich wirklich hier war. Katzen müssen auch zu festen Zeiten schlafen, und ab und zu muß geschachtelt werden. Jede Schachtel, die ins Haus kommt, der Karton, in dem ich die Einkäufe aus dem Supermarkt ranschleppe, oder die Verpackung des neuen Fernsehers, muß «besessen» werden. Als Saar noch lebte, gab es Streit darum, wer als erste hineindurfte. Meist siegte Saar. Sie schachtelte eine halbe Stunde, und dann war Pu dran. Ein rechtes Vergnügen schien es nicht zu sein, eher eine Aufgabe, die eben erledigt werden mußte, so wie wir zu bestimmten Zeiten den Müll hinausstellen.

Als Saar tot war, schachtelte Pu allein. Irgendwie hat sie noch nicht begriffen, daß sie kein Kind mehr ist, denn die Pflicht ruft auch bei Schachteln, die schon auf den ersten Blick zu klein sind, zum Beispiel die, in der der Toaster war. Dann höre ich ein schreckliches Gewurstel und Geschnaufe, bis sie drin ist, mit einem Gesichtsausdruck wie jemand, der es endlich geschafft hat, sich in ein zu enges Kleid zu zwängen. Eine halbe Stunde bleibt sie eingeklemmt im Karton hocken, bis sie ihre Aufgabe wieder mal als erledigt betrachtet.

Mir wäre es recht gewesen, wenn sie was gegen das Ungeziefer getan hätten. Erst einmal gegen ihre eigenen Flöhe, das aber, so ist mir seit meinen ersten Katzen klar, bleibt an mir hängen. Seit der Erfindung von Flohhalsbändern ist das kein Problem mehr, doch bei den Katzengenerationen davor war es im Sommer ein furchtbares Theater. Einmal pro Woche mußte ich die Katzen fangen, sie einpudern, eine halbe Stunde lang hinter ihnen herrennen, um aufzupassen, daß sie das Pulver nicht aus dem Fell leckten, und dann mußte ich sie kämmen, mit einem Spezialkamm, ein Schälchen mit heißem Seifenwasser daneben, um die Flöhe gleich zu ertränken. Manche Katzen fanden dieses Gefummel wunderbar, wie manche Menschenfrauen zur Massage, zur Kosmetikerin oder Friseuse gehen, um sich mal richtig verwöhnen zu lassen. Aber manche Katzen wollten nicht, und es kostete viel Mühe, sie trotzdem dieser Behandlung zu unterziehen. Eine Zeitlang schien der neue Flohspray die Lösung, kein Pulver, das wieder ausgekämmt werden mußte, sondern eine Sprühdose. Das war noch, bevor wir das Loch in die Ozonschicht hineingekriegt hatten. Aber bei den Katzen war die Spraydose schon damals nicht beliebt. Zunächst einmal mögen sie nichts, was zischt und faucht, das ist per definitionem ein Feind, wie zum Beispiel der Staubsauger. Mit Miepie habe ich es dann total verdorben. Außer der Spraydose gegen Flöhe hatte ich auch eine gegen die Nachbarkater, die ihre Duftmarken an unsere Fenster sprühten. An diesem Tag sprühte ich Miep ein, die sich wie gewöhnlich heftig wehrte.

Wieviel schlimmer sie es diesmal fand, merkte ich erst, als sie wie besessen durchs Zimmer rannte, nicht hin und her, sondern auf einem merkwürdigen Zickzackkurs. Als ob sie verfolgt würde, nein, eher so, als ob sie vor sich selbst davonzurennen versuchte, und dann sah ich, daß ich nicht den Antiflohspray in der Hand hielt, sondern den Antikaterspray. Miep brauchte etwa fünf Stunden, bevor sie sich wieder riechen konnte, und ich warf alle Spraydosen weg. Danach bekamen die Katzen in den warmen Monaten Flohhalsbänder. Saar fing noch ab und zu eine Fliege, die sie, krach-krach, zwischen den Zähnen zermalmte, wie unsere Jugend tütenweise Chips vertilgt, aber Pu kümmerte sich nie um das, was um sie herum kreuchte und fleuchte. Pu sah sich alles Getier nur höchst interessiert an. Stundenlang konnte sie den Weg einer Ameise verfolgen, ohne sich je nützlich zu machen, ein kleiner Pfotendruck hätte schon ausgereicht, und da sie doch so gern auf der Lauer lag, hätte sie ihren Tagesablauf nicht einmal zu ändern brauchen, aber nein.

Ich habe schon viele kleine Tiere im Haus gehabt, die von allein wieder verschwanden, Ameisen, Marienkäfer, Kakerlaken, Schnecken und einmal ein Vieh, das meiner Meinung nach eine Ratte war. Angesichts der zunehmenden Größe habe ich wohl demnächst Wildschweine und schließlich eine Büffelherde zu erwarten.

Nun gibt es noch mehr Möglichkeiten, wie Katzen, vor allem Schriftstellerkatzen, sich nützlich machen können. Außer der Verbreitung von Stille können Schriftstellerkatzen beim Posieren behilflich sein. Bis auf einige Ausnahmen, Harry Mulisch zum Beispiel, der sogar noch posiert, wenn er nicht fotografiert wird, lieben Schriftsteller so etwas nicht. Nachdem man sich mit dem, was man schreibt, ohnehin schon entblößt hat, sollte das eigentlich genügen, finden die meisten, und wer sich selbst morgens im Spiegel betrachtet, kann sich nicht vorstellen, daß so ein Kopf verkaufsfördernd wirken kann. Aber so ist es nun mal, Bücher werden mehr über die Medien als im Buchhandel verkauft – also müssen wir dran glauben. Der Fotograf kommt ins Haus, und wir müssen versuchen, wie ein Schriftsteller auszusehen. Da wir selbst auch nicht wissen, wie richtige Autoren auszusehen haben, fallen wir auf die bekannten Klischees zurück. Nachdenklich starren wir über dem leeren Blatt Papier in die Ferne, mit gezücktem Stift und möglichst mit einer Bücherwand im Rücken. Schriftsteller können auch in die Heide oder an den Strand geschickt werden, wo sie düster in die Natur hinaussehen, mit einem leicht kurzsichtigen Blick, der darauf hindeutet, daß hinter diesem Blick gerade kreative Prozesse im Gange sind. Das gängigste Klischee freilich ist immer noch das von Autor mit Katze. Autoren mit Katze sind echte Schriftsteller, das sieht man gleich. Der Vorteil ist außerdem, daß man sich wenigstens an etwas festhalten kann, während man sich zum Gespött der Leute macht. Zigaretten halfen auch, aber die sind seit all den Antiraucherkampagnen ein bißchen *out*. Als auf dem Titelblatt einer Frauenzeitschrift zu sehen war, wie ich mich an einer Zigarre festhalte, kündigten gleich vier Damen ihr Abonnement. Bleibt also die Katze. Nun ist das Problem bei Katzen, daß sie zwar im allgemeinen gern im Mittelpunkt der Aufmerksamkeit stehen, nur dann nicht, wenn man sie gerade braucht und sie endlich die Chance haben, mit ehrlicher Arbeit zu ihrem Lebensunterhalt beizutragen. Allein in diesem Monat stieß ich zweimal auf das PR-Foto einer Schriftstellerin, die eine Katze im Würgegriff hielt und sie so zwang, mit ihr zu posieren. Die Schriftstellerin lächelt dabei gequält, die Katze gar nicht. Pu liebte es zu posieren, Saar nicht. Das gab Probleme, als ein deutsches Fernsehteam in meiner Wohnung erschien, um einen Bericht über mich zu drehen. Saar saß auf dem Tisch. Die grellen Scheinwerfer gingen an, die Kamera surrte. Saar blieb auf dem Tisch sitzen, fasziniert und von der Wärme angezogen, sie saß gern unter einer Lampe, und leises Surren oder Schnurren mochte sie. Alles, was leise schnurrt, wie die Nähmaschine, und alles, was Wärme verbreitet, kann im Gegensatz zu fauchenden und brummenden Dingen im Prinzip als katzenfreundlich gelten. Der Regisseur fand es prima, Saar im Bild zu haben, denn ansonsten war alles so wie immer, Bücherwand im Hintergrund, Schriftstellerutensilien auf dem Tisch. Die ersten Fragen waren gestellt, die ersten Antworten gegeben. Saar hatte genug und verschwand. Dann kam Pu. Die hatte vor Aufregung schon eine Weile kaum noch stillsitzen können. Dies war ihre große Chance. Pu auf dem Tisch – mit großen Kulleraugen blickte sie würdevoll in die Kamera und traute sich immer näher heran. *Die* Katze muß weg, sagte der Regisseur, die andere muß wieder her, sonst kann ich das Material nachher nicht schneiden. Dann sitzt im einen Augenblick eine gestreifte Katze im Bild, die sich im nächsten Moment in eine gefleckte verwandelt und wieder zurück, das stört die Kontinuität. Doch das war nicht so einfach. Pu wollte nicht weg, Saar wollte nicht auf den Tisch zurück, und als ich Pu in der Toilette einsperrte, denn andere Türen, die sich verschließen lassen, gibt es bei mir nicht mehr, fing sie dermaßen zu schreien an, daß die Tonfrau sehr schnell die Kopfhörer abnahm und sagte, so ginge es nicht. Pu wurde wieder rausgelassen. Einer der Assistenten bekam den Auftrag, das Vieh aus dem Bild zu halten, was er nur schaffte, indem er sie fest an die Brust drückte.

Und obwohl ich hinter einem kleinen Bücherstapel eine offene Whiskas-Dose versteckte, ließ Saar sich nicht mehr blicken. An das Interview selbst erinnere ich mich nicht.

Ein neues Problem tauchte auf, als Fotos zu einem Interview zu machen waren, in dem es um das Ende des Frauenbuchverlags Sara ging. Da sollte ich mit der Katze zu sehen sein, nach der der Verlag schließlich benannt war. Saar, die für solche Dinge ein feines Gespür hat, war verschwunden, noch bevor der Fotograf erschien. Pu wollte schon, Pu wollte gern, aber Pu war nicht Saar. Können wir nicht ein bißchen mogeln, fragte der Fotograf, der seine Stunden verstreichen sah, während ich Saar mit rohem Herz aus dem Schrank zu locken versuchte. Bei Nacht sind alle Katzen grau, wer weiß schon, welche die richtige ist. Darauf ließ ich mich aber nicht ein, als ob Pu und Saar austauschbar wären, und das war nur gut, denn in einem anderen Artikel war ein altes Jugendfoto von Saar abgedruckt. Als ich sie schließlich hatte, in einem Judogriff, hat sie es sich gefallen lassen. Auf dem Foto ist sie mit unergründlichen Augen verewigt, ich daneben, mit leicht gezwungenem Lächeln. Wie ich ihr die Pfoten festhalte, ist zum Glück nicht zu sehen.

Ich hatte mir auch noch eine andere Aufgabe für sie ausgedacht. Eines der Dinge, mit denen sich ein Mensch heutzutage herumplagen muß, sind alle möglichen modernen Geräte mit Gebrauchsanweisung. An vier Stellen in meinem Haus blinkt mir die Zeit in roten und grünen Ziffern entgegen: an der Mikrowelle, dem Tuner, dem Video und dem Radiowecker. Nun irritiert es die meisten Menschen, wenn diese Uhren nicht dieselbe Zeit anzeigen. Mich stört das nicht, solange der Unterschied nicht größer als eine Viertelstunde ist, denn ich habe auch noch eine Armbanduhr. Dabei fällt mir ein Witz ein, von einem Mann, der fast zu spät für den Zug um zehn vor zwei japsend am Bahnhof ankam, wo die Uhr zwölf vor zwei zeigte; beruhigt ging er langsamer und sah, als er auf den Bahnsteig kam, den Zug vor seiner Nase abfahren. Die Uhr auf dem Bahnsteig zeigte neun vor zwei an. Wütend lief er zum Bahnhofsvorsteher und fragte, wozu zum Teufel zwei Uhren gut sein sollten, die verschiedene Zeiten anzeigten, worauf der Mann gelassen antwortete, wozu sind zwei Uhren gut, die dieselbe Zeit anzeigen?

In meinem wackligen alten Haus habe ich das Problem, daß der Strom manchmal ausfällt; wenn er nicht von höherer Hand gesperrt wird, weil die Rechnung nicht rechtzeitig bezahlt wurde oder weil draußen ein neues Kabel gelegt werden muß, dann deswegen, weil die Sicherungen durchgebrannt sind. Wenn der Strom wieder geht, beginnt es an allen Ecken und Kanten rot und grün zu blinken, und ich muß, die Gebrauchsanweisungen in der Hand, alle Geräte neu einstellen. Das wäre doch eine schöne Aufgabe für die Katzen, nützlicher als schachteln und auf den Bus zu warten, der doch nie hält, und außerdem kommen sie ganz gut mit diesem digitalen Kram zurecht. So weiß Pu genau, wie sie meine Telefongespräche beenden kann, wenn sie zu lange dauern. Daß Saar heimlich fernsah, wenn ich nicht zu Hause war, merkte ich, als ich mir einen modernen Film ansah und mittendrin ein Fußballspiel anfing. Ich erkannte nicht gleich den Zusammenhang mit dem Vorhergehenden, aber das passiert mir öfter, also sah ich geduldig weiter. Aber Saar begann sich zu langweilen und schaltete wieder auf ein anderes Programm um. Das geht durch leichtes Antippen mit einem warmen Finger und folglich auch durch leichtes Antippen mit einer warmen Nase.

Saar war auch von meiner neuen elektronischen Schreibmaschine begeistert, die, wenn sie eingeschaltet war, ihr Hinterteil viel besser wärmte als meine alte manuelle Maschine und obendrein flacher ist. Da die Tasten auf die leiseste Berührung reagieren, tippte sie auch manchmal ein Stück, wenn ich nicht aufpaßte. Dann fand ich einen rätselhaften Satz mitten in einem meiner Artikel, den ich mir nicht erklären konnte, bo ij ijqr, oder etwas in dem Stil. Saar war ein Stück von mir entfernt damit beschäftigt, Stille zu verbreiten, und blinzelte nur kurz, als ich sie fragend ansah. Es kam regelmäßig vor, daß die Farbbänder früher aufgebraucht waren als plausibel war, also nehme ich an, sie hat ihre Memoiren geschrieben. Und ich vermute auch, daß in ihren Memoiren viel über mich steht. Schändliches, all das, was ich verschwieg, als ich *Die Scham ist vorbei* schrieb. Aber als ich nach ihrem Tod ihr Büro hinter den Büchern aufräumte, fand ich nur ein versteinertes Rosinenbrötchen, an dem ein Bissen fehlte, offensichtlich Vorrat für schlechte Zeiten, zwei Flohhalsbänder, aus denen sie sich wohl hatte befreien können, und dicke Flocken ihres herrlichen beigen Fells.

Wer dieses Buch gelesen hat, könnte meinen, daß Saar die ideale Katze war, abgesehen von ihren Schwächen beim Kinderaufziehen und den üblichen Macken. Aber mit Saar gab es auch eine Menge Probleme. Obwohl sich das nie auf ihre Laune auswirkte, hatte sie eine schwache Konstitution. Ständig fehlte ihr etwas. Einmal hatte ich mir einen Weisheitszahn ziehen lassen, und das war eine ziemlich üble Sache. Ich hatte eine Backe, in der sich ein mittlerer Tennisball zu verstecken schien. Am nächsten Tag war die Backe kaum abgeschwollen. Ich schaute Saar an und hatte für einen Moment das gespenstische Gefühl, ich sähe in einen Spiegel. Da saß sie, mit schiefem Gesicht, ein Auge fast zu, mit genau der gleichen Backe. Ein Abszeß. Der Tierarzt und seine Helferin fanden es, glaube ich, recht komisch, als wir beide so ankamen.

Es war nicht ihr letzter Abszeß, und außerdem hatte sie noch Katzenschnupfen, Würmer, verdächtige Knoten, Blasenentzündungen und Darminfektionen. Das alles machte sie neben den üblichen Impfungen und ihrer Sterilisation zu einer Stammpatientin in der Klinik von Doktor van Santen, der schon fröhlich rief, aha, da haben wir Saartje Meulenbelt, noch bevor er ihren Namen auf der Karteikarte gelesen hatte.

Unmengen an Medikamenten sind durch ihren kleinen Körper gewandert und haben mich Unsummen gekostet, aber dankbar war sie nie. Ich brauchte nur mit den Schachteln zu rascheln, in denen ihre Pillen waren, und schon hatte sie sich wieder unerreichbar hinter den Büchern verschanzt. Und mit jedem Mal wurde es schwieriger, sie in den Katzenkorb zu bekommen. Als sie erst einmal spitz hatte, was das bedeutete, bekam sie von einer Sekunde zur nächsten acht Pfoten, mit denen sie sich, gefährlich knurrend, an der Öffnung festklammerte, in die ich sie zu schieben versuchte, und außerdem ist es ihr ein paarmal gelungen, sich wenige Zentimeter flach zu machen und durch den Spalt der Gittertür wieder hinauszuwinden, wenn ich einen Moment lang nicht aufpaßte. Armin mußte helfen und ein paar von ihren Pfoten festhalten, aber auch das wurde schwierig. Anfangs verdächtigte sie ihn noch nicht der Komplizenschaft, wenn er, mit freundlicher Schmeichelstimme: Saartje Doktor Doktor? fragend, auf sie zukam, während ich den Korb hinter dem Rücken versteckt hielt, doch darauf fiel sie schon bald nicht mehr herein, und wir mußten rohe Gewalt anwenden. Armin wurde ein Meister darin, sie blitzschnell in ein Handtuch zu wickeln, so daß sie auch mit ihren Extrapfoten nichts ausrichten konnte. Dann hockte sie empört schreiend in ihrem Korb und zog vor allem in der Straßenbahn sämtliche Register, so daß jeder sich umschaute, um zu sehen, wo dieser gräßliche Tierquäler wohl saß. Wenn wir dann bei der Klinik ankamen, hatte sich ihr Gejammer zu leisem Klagen abgeschwächt, und einmal im Wartezimmer angelangt, hatte sie sich mit ihrem Schicksal abgefunden. Schlaff und schlapp lag sie in meinen Armen, den Schwanz zwischen den Beinen eingekniffen, und ließ sich Doktor van Santen überreichen, der sich mit ihr auf die Waage stellte. So könne er ihr Gewicht ständig kontrollieren, genau wie das seine, meinte er. Viel hat sie nie gewogen. Nur ein paar Pfund, dieses geliebte Untier. Doktor van Santen nahm sie übrigens nie etwas übel, mir dagegen schon. Ich hatte jedesmal eine Menge gutzumachen, wenn wir wieder zu Hause waren.

Normalerweise zog Saar sich zurück, wenn sie sich nicht wohl fühlte, und das wollte sie natürlich auch, wenn sie nach einer Narkose noch ganz benommen aus dem Korb torkelte. Aber stehen konnte sie dann noch nicht recht wieder, geschweige denn die Treppe hinaufgehen oder in den Bücherschrank klettern, so daß ich jedesmal, wenn sie operiert worden war, den ganzen Tag hinter ihr herlaufen und sie überreden mußte, ihre Versuche aufzugeben und einfach unten zu bleiben. So war es auch nach ihrer letzten Operation. Mit glasigen Augen taumelte sie über den Teppich, fiel ständig um, steuerte aber immer wieder beharrlich auf die Treppe zu. Wenn du wirklich nach oben willst, trag ich dich, sagte ich. Das war ihr recht, aber oben angekommen, mußte ich noch mehr auf sie aufpassen, denn sie hätte leicht von der Empore fallen können, zumindest vom Geländer, über das sie sonst so graziös balancierte. Ich legte sie auf mein Bett, was sie für eine Weile duldete, doch dann wurde sie wieder unruhig und schlich sich weg, um mit einem Plumps vom Bett zu fallen, woraufhin ich sie wieder aufheben mußte. Armin kam helfen. Versorgt mit einem Glas Wein und den Zeitungen und Büchern, die wir gerade lasen, bildeten wir mit unseren Körpern einen Kreis um sie, er mit den Füßen an meinem Kopf, sein Kopf an meinen Füßen. Und Saar dazwischen. Das gefiel ihr, und nachdem sie uns beide blinzelnd angeschaut hatte, schlief sie ein.

Dies ist meine letzte bewußte Erinnerung an sie. Ein paar Tage später war sie wieder einigermaßen auf dem Damm, und da ich ein Seminar in einem Bildungszentrum irgendwo im Wald zu betreuen hatte, machten wir ab, daß Armin mit ihr zum Doktor gehen sollte, um die Fäden ziehen zu lassen. Dazu ist es nicht mehr gekommen. Vielleicht war sie zum Schluß von ihrer letzten Darminfektion zu sehr abgemagert, zu schwach, um die Operation zu verkraften, vielleicht war aber auch ein anderes Teil verbraucht. Als ich während dieser Tage meinen Liebsten anrief, sagte er, er habe eine schlimme Nachricht für mich, Saartje sei gestorben. Ich rief Armin an, der mir erzählte, wie es passiert war. Spät abends hatte er bei mir noch ferngesehen. Saartje war quietschvergnügt gewesen und dem Anschein nach wieder gut beieinander. Aber am nächsten Morgen, als er sie füttern kam, lag sie tot auf der Duschmatte. Inzwischen war sie schon eingeäschert.

Ich hatte Mühe, den Faden wiederzufinden. Immer wieder ertappte ich mich dabei, wie ich aus dem Fenster starrte und kaum hörte, was gesagt wurde. Mir war, als sähe ich einen kleinen gestreiften Tiger zwischen den Bäumen umherschleichen. Als würde sie da draußen auf mich warten. Nachts war mir für einen Moment, als läge ihr vertrautes Gewicht an meinen Füßen.

Ich hab mir noch überlegt, ob ich sie für dich aufheben sollte, bis du wiederkommst, sagte Armin, als ich wieder zu Hause war. Ruben meinte, wir sollten sie vielleicht solange in den Kühlschrank tun. Aber angenommen, du wärst nach Hause gekommen und hättest ahnungslos die Tür geöffnet. Wir lachen.

Ich gehe hinauf, mit Armin. Die Badematte liegt da, wie immer, weiß. Nichts ist ihr anzusehen. Und trotzdem stehen wir für einen Moment davor.